fashiou beautfashiou Hair

時尚髮美人

林葉亭◎著

自序

每次在做一本書的時候，都會讓我連帶延伸出許多想法，這本《時尚髮美人》就是我在做《魔髮美人兒》時，想到用雜誌去分析每個女生的髮型一個很好的主題，之後我用這個主題到很多地方演講都非常受歡迎，除了讓讀者們能夠更深入地了解適合自己的髮型風格是什麼，如果想要變換其他造型，也有依據可以參考，不會像瞎子摸象一般，天馬行空，不知該從何著手才好。

現在的女生喜歡多變化，已經不再是一種LOOK走到底，隨著上班、PARTY、玩樂等不同場合，變換出不同的造型風格，有時以專業的上班族形象風格示人；有時候卻又像在走星光大道般一樣耀眼，希望自己也有明星級的妝扮，這時候，百變的造型技巧就能夠派上用場，讓妳隨時變身、時時保持美麗。

身為教導大家如何變美的變髮達人，我對日本造型流行資訊十分了解，我想要告訴大家的是：如果妳喜歡什麼樣的風格，就可以參考日本雜誌做為打造範本，這樣一來，妳才能夠知道自己變身後是什麼樣貌，而不是光靠想像來猜測。

假若妳是某種雜誌類型的人，也可以參考這本雜誌所教授的TIPS，加強自己的個人風格，並且做出整體的美麗打扮，而並

非只有髮型而已。在我看來，美麗不是只有髮型而已，它還包括了服裝、彩妝等環節，是全面且整體的。舉例來說，像之前很流行的109辣妹打扮，台灣很多好身材的女生都可以做得到，但難就難在不只是服裝做到而已，應該是連同髮型、彩妝也都要到位，才能夠突顯它的精神和韻味，所以，我希望用雜誌LOOK帶領大家更深入了解流行的面貌和風格，做一番整體性的全面改造。

流行雜誌已經變成現代女孩的流行教科書，像我自己一個月都要閱讀二十本以上的國內外雜誌，看看國內的流行程度與國外的流行趨勢，從中找出可以發揮的元素來做變化，如果沒有經常翻閱這些資訊的話，有時候還會讓我感覺有點恐慌呢（笑）。

儘管流行資訊一直不停在替換，還是可以利用「最基礎實用的技巧」來打造出造型變化。有一次，我到某個時尚貴婦團場合去演講，台下有人問我說：「葉亭老師，每一季我都會買最新顏色的彩妝品，為什麼看起來還是沒有變年輕呢？」

這其中有一個非常重要的關鍵，就是每段時間的流行都會有一個重點，或許是髮色，或者是捲度；彩妝方面則是有不同的眼線、眉型、腮紅等等畫法，假若不能掌握學習最基本的技巧，再多的彩妝品也是枉然。

像我自己雖然一直是長髮造型，但也會隨著每季流行的重點不同，而變換劉海造型、髮尾捲度、髮色層次等等，即使多年來我一直都維持長髮的造型，但在視覺上還是給人一種不斷在變換髮型的感覺。

大家一定要記得：產品只是變身的工具，最重要的還是在於學習基礎技巧，它是讓所有女生受用一輩子的技術，流行只不過是一個循環過程而已。只要能夠反覆練習，靈活地運用，就像經驗豐富的大廚師一樣，不用稱斤論兩地計算材料，也能夠煮出一桌色香味俱全的菜色。

我很希望大家能夠藉著這本書找到讓自己變美的方法，重點是要勇敢嘗試、勇於改變，就能讓妳看起來愈來愈年輕，愈來愈美麗。

目錄

Cover girl

22款封面造型

個性╳甜美╳流行╳前衛╳風尚

用最in雜誌髮型全面打造閃亮美人計

CUTiE girl

Tips

想要營造出甜美風情，可以利用假髮片來打造出青春無敵的學生妹妹頭。搭配誇張搶眼的髮飾，妳就是最自信的Cutie女孩。

side♥

♥back

10代少女
可愛『入門指南』
甜美、可愛女孩的獨立宣言！

針對十幾歲的小女生成為甜美的焦點，青春是最雄厚的本錢、只要我喜歡有什麼不可以的自信也是最讓人羨慕的美麗來源。Cutie style是誇張甜美感，羨慕金髮碧眼的西洋人，是少女一開始接觸流行的造型指南，都很有自我的獨特味道。同時雜誌中也有髮型單元介紹，只要妳用心跟著學習穿搭，保證能成為最無敵的流行教主。

甜心蘿莉髮妝蠟（自然空氣）
能營造出自然不造作的輕盈柔和空氣感

TIPS 取適量在手指或手掌抹勻後，在頭髮需要光澤或髮尾需要動感的部分進行造型。

start

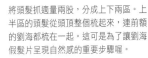

1. 將頭髮抓適量兩股，分成上下兩區。上半區的頭髮從頭頂整個梳起來，連前額的劉海都梳在一起。這可是為了讓劉海假髮片呈現自然感的重要步驟喔。

2. 用黑色小橡皮筋將這股頭髮綁起來，並且用黑夾子穿入髮束中固定。這束頭髮此時呈現向上散開的樣子。盡量讓它呈現向上綻放的樣子囉。

3. 將下區的頭髮分成三區，並且用黑色夾子分別將這三股頭髮向上固定，讓頸部全部露出來，乾淨俐落。

4. 將上區呈現向上放射狀的頭髮，用尖尾梳以髮束為中心，由髮尾向髮根方向刮蓬。要多無敵活潑，就看這個步驟啦。

5. 前額戴上大片劉海造型的假髮片，並將它固定住。記得用手將它整理好，自然地貼住前額。

6. 以紅黑相間、有學院風氣息的雙層大蝴蝶結當作髮飾戴上。用這個樣子上學去，保證成為校園裡的焦點美女。

搭配襯衫、針織毛衣外套及毛靴，一款青春洋溢的造型就呈現出來囉！

Zipper *style*

創意個性
02

TIPS

Zipper女孩有著單純不複雜的氣質，所以在髮型上的造型也不用太過複雜，只要把青春無敵的氣息表現出來就可以囉！

SIDE

BACK

個性鮮明的混搭示範

創造『自己流』的流行生活

《Zipper》是日本高中、大學的女孩最愛的一本雜誌，在內頁裡經常可以看見大量符號元素，如迷彩、水滴、豹紋等圖案，衝突性的元素會搭配在一起，造型種類也相當多樣，有輕便率性的休閒風、甜美青春的可愛風、懷舊復古的古著風等等……對於自己的造型比較有想法，讀者們強調自我風格天馬行空的想像力，在造型上創造無限的可能性。《Zipper》是讓每個女孩學習做自己的流行入門寶典，想開始改變的小女孩必buy。

start

1.

從左右兩側各抓起頭頂上方區的髮量。

將髮束往後交疊扭轉後，頭頂形成一個自然蓬度，髮尾再用黑色夾子固定。頭頂的蓬度是一個重點，它能呈現出髮型青春洋溢的感覺。

2.

接下來的步驟，則是要將後方中間以上的頭髮慢慢收起來。我們使用髮夾而非橡皮筋來收，是為了要讓造型更有層次一點。
從左邊抓起一小股頭髮，以順時針方向捲向腦後，髮捲用黑色毛夾固定。

3.

4.

再從右邊抓起一小股頭髮，以逆時針方向捲向接近頭頂的位置，髮捲用黑色毛夾固定。

5.

接著用相同的方式，將耳朵以上的兩側頭髮捲到後方去，髮捲的部分用黑色夾子固定住。

6.

雖然這時髮型看起來已經很不錯了，不過對美的細節可得斤斤計較，還要來點小心機。想要讓髮型看起來更自然有型，就可以上一些造型膠，再用手抓出自然凌亂感即可。

7.

最後將兩側雜毛頭髮用黑色毛夾交叉固定住，除了有造型感之外，從正面看來也會更乾淨俐落。

TIPS：小黑夾也是造型的一部份喔！

隨興造型膠
超強的造型控制，有持久的線條感。

TIPS：以手塗抹少量在濕髮上，如常造型：若還需呈現線條感，可塗抹在乾髮上。

11

PS Natural

Point

想要成為PS女孩就要有敢秀
自己的自信。在甜美浪漫的
外表下,其實有著做自己的
決心,不管是髮型或服裝,
都照自己想要的裝扮打造出
自己的型。

back

side

擁有屬於自己的流行重點!

做自我色彩鮮明
的時尚流行教主

12

在小女生轉變成大女孩的階段，《non-no》絕對是陪伴每個女生一起成長的流行寶典。雜誌以最流行的話題單品提案，除了教妳如何依場合穿搭服裝之外，還有女生必學的瘦身穿搭術，教女孩們如何把錢花在刀口上，是非常實用的服裝流行穿搭的經典雜誌，這本雜誌也捧紅了許多名模唷！

1 將頭髮如照片所示的區域，分成8股，分別用大髮子夾起來備用。

2 將瀏海這一股的大髮夾取下，上髮捲。

3 將頭頂這一股的大髮夾取下，上髮捲。
將接近頭頂，左右這兩股的大髮夾取下，上髮捲。

4 將最下方左邊這一股頭髮，以扭轉的方式往上捲，以黑色毛夾固定在後腦勺中央。

5 將最下方右邊這一股頭髮，以扭轉的方式往上捲，以黑色毛夾固定在後腦勺中央。

6 取下右側的大髮夾，將這一股頭髮以逆時針方向轉往後收，以黑色毛夾將上方固定。

7 取下左側的大髮夾，將這一股頭髮以順時針方向轉往後收，以黑色毛夾將上方固定。

8 做好之後會變成這個樣子。

9 取下髮捲，完成剩下三股頭髮的捲度。

10 取下前額髮捲，整理好瀏海。

11 用定型液強化整個造型。

派對蜜
使頭髮有顯著豐盈的感覺，豐盈也擁有柔順觸感，不會出現傳統的黏膩感！

mini style

tips

mini女孩喜歡自在的無拘束感,所以在造型上以乾淨簡單為主,太複雜的裝扮就NG囉!

boylist

MIX Style 的流行情報

『街頭、帥氣』X『甜美、自然』MIX概念

16

《mini》是一本給人簡潔舒適感，但又不脫流行元素的流行雜誌。以boy list style著稱，雜誌裡介紹的服裝單品是以街頭、潮牌來做混搭，追求自然中性風格的女孩們，淡淡的彩妝和自然的髮型也能與時尚零時差。在雜誌裡會出現的文字也以個性為主。輕鬆地打造街頭流行風格，mini是喜愛混搭風的女孩必敗的流行誌。

step 1 先用梳子將前額頭髮全部往後梳，準備戴上髮箍，記得全部的頭髮都要梳乾淨。

step 2 用大齒髮箍貼住頭皮，將頭髮往後箍上，讓前額做出乾淨俐落的感覺。

step 3 將頭髮分區一小束一小束抓起，用扁梳從內部由髮根往髮尾稍微刮蓬。重點就是前額與兩邊的頭髮是梳乾淨的，而髮尾部分則盡量呈現蓬鬆感。

step 4 最後，可以用手均勻搓勻線條髮蠟，輕輕搓揉抓整出頭髮的線條感。這樣即使從遠方看過去，也看得出頭髮閃亮的線條光澤感。

Party 蘿莉髮妝蠟
適度的輕盈持久力，展現彈性十足的髮尾動感。

TIPS 取適量在手指或手掌均勻抹開，搓揉開在整體的頭髮上，進行造型~

17

Soup girl

Point

Soup女生是隨著流行多變的，不會侷限在一種風格裡。所以有時候妳可以是簡單的馬尾造型，心血來潮時，不妨以俏麗龐克造型讓人驚豔吧！

side

back

Girls變得更『可愛』的造型講義

隨時隨地的簡單變化！

18

《Soup》是《PS》和《mini》日本街頭最「潮」的boy list和mini的甜美裝扮綜合版，是高中生、女大生喜歡看的一本流行雜誌。雜誌內容請會藝人示範不同風格的穿搭，依照場合的不同介紹最流行的穿搭，讓妳在任何場合裡都是最活躍突出的女孩。也有對品牌研究性質的分析報導，不論是平價、高檔的，都清楚地分析和介紹，是一本讓妳了解人氣品牌的入門流行講義。

step 1

將前額劉海以及頭頂的髮量，預先扭轉以黑色毛夾固定。

step 2

將後方中段髮量的部分，分別由左右兩方拉到接近頭頂之處，用黑色毛夾固定住。

step 3

將劉海髮根的部分繞過前額，用黑色毛夾固定，留下髮尾。

step 4

將前額預留的髮尾逆梳刮蓬。

火焰蠟
線條分明、清爽不黏膩，是超強控制乳霜，能重複結構塑型。

TIPS 取適量，在手中塗抹開來，直接抹在乾髮上，隨時重塑造型都能達到想要的質感效果！

19

1 俏麗
無敵

如果妳想要塑造出狂野性感
或是另類的時尚名媛，誇張
但不突兀的ViVi式造型絕對
是可以參考的風格。

蓬蓬粉
輕盈不沾膩，具有固
定力超持久，油性髮
質專用的美髮聖品。

TIPS

可直接適量倒在頭髮上，或只可以
先倒在手上，在像髮蠟抹在髮根，
但不觸碰到頭皮，讓頭髮從髮根就
能蓬鬆！

side

back

sweet sexy VIVI風格
『性感可愛』的代名詞‼

《CanCam》是年輕的OL女孩最愛參考的俏麗時尚服裝日雜。keyword的說明抓住妳的目光，尤其從模特兒專業的pose當中，也能精準地說明流行資訊和場合的呈現，在觀看圖片就能知道現今流行的單品，絕對能滿足想要經常變換造型的女生。內容從一般OL會去的場合或是社交活動，到上班族的全身流行穿搭都會仔細的說明介紹。模特兒蛯原友理一直是《CanCam》最喜愛的代表人物，她在每一期雜誌中的穿搭都會造成一股模仿風，也因此讓她聲名大噪。《CanCam》的流行指標魅力可見一斑。

1 想要前額做出超完美弧度劉海，造型前髮捲可不能少。將前額劉海的部分抓出來，上髮捲，增加劉海的立體感。

2 將其他部分的髮量分成上面一區，中間左右兩區，以及最下方一區。最上方一區先用怪獸夾固定住。中間左右兩區分別順著做出三股辮。

3 取下上面一區的怪獸夾。用鬃毛梳將內側頭髮稍微刮蓬，增加後腦勺的立體感。這也是讓造型更好看的一個小技巧。

4 先將這一股頭髮，用黑色橡皮筋紮起來，由上往下順著編出三股辮。編辮子的時候不需要抓得太緊，大概編出一條穩定的辮子就可以了。

5 將已經編好的三條三股辮，用怪獸夾固定住，再從下方抓出一股髮量，由上往下順著做出另一個三股辮。

6 取下怪獸夾。將已經完成的這四股髮辮，以逆時針的方向向上盤起，最後落在左上方，用黑色夾子固定住。如此，就完成了一個半包頭。

7 為了讓這個髮髻更穩定，右下方也用黑色夾子固定住。

8 左下方使用黑色螺旋夾，將髮髻固定住。

9 正下方使用黑色螺旋夾，將髮髻固定住。

10 取下前額劉海髮捲，將劉海整理好。

11 將剩餘髮量分成三股，分別以電棒捲將捲度做出來。

12 前額也別忘了用電棒捲加強一下造型。

13 最後將黑色蕾絲珠花夾子，從左後方夾入，就完成囉。

抗熱直亮霧
抗熱保濕效果讓造型超持久、超直亮，針對自然捲俏或微捲髮質提供最安全的暫時性直亮造型。
TIPS 在造型前，乾濕髮皆可噴上抗熱直亮霧，之後再使用吹風機或是電棒即可。

電捲3.2cm 等溫度冷卻後搓揉撥鬆頭髮，最後噴上定型液。

電棒3.2cm 在使用電棒前要先使用抗熱髮妝水，才要呈現質感光澤的效果喔！

With Lady

甜美輕熟女 01

side

back

上班、約會皆實用

正式場合提升好感度
的『美髮美女』

26

以人氣超夯女藝人松島菜菜子為封面的《With》雜誌，強調女優自然不做作風格，是輕熟女的美麗實踐書。雜誌常會做從頭到腳的一週穿搭介紹，內容豐富多樣化，雜誌的獨特性是在最後做專題單元的部分，像是女性身體保養、簡易食譜教學、減重塑身或是難以啟齒的疑難雜症……等等，星象學也是女性朋友們喜愛的單元，包羅萬象的內容提升女人的內涵，深受自主新時代女性歡迎。

將全部的頭髮由左上往右下抓起，以黑色橡皮筋固定住。

記得將後腦勺部分的髮量抓蓬，這樣整個頭型才會好看喔。

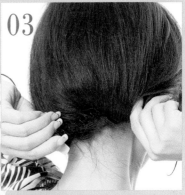

將這束頭髮由下往上、由外往內捲起，在捲起的部分以黑色螺旋夾由左往右插入固定住。

髮捲的另一端，也用黑色螺旋夾由右往左插入固定住。這個時候，後方的這個髮髻是扁的。

抓住頭髮尾端，將這個髮髻往一開始黑色橡皮筋固定的落點推，再用黑色螺旋夾由下往上插入固定住。如此，後方的這個髮髻立蓬起有型。這是最重要的一個步驟，髮髻有沒有女人味就靠這個訣竅囉。

再用一支黑色U形夾，由左上往右下插入，將這個髮髻固定得更牢。

魔法漿
防止毛躁，創造輕盈線條，使秀髮柔順有光澤，宛如觸感柔軟。
TIPS 取少量塗抹在乾髮上，創造出想要的造型和質感。

MODE Fashion

甜美輕熟女
02

POINT

馬尾頂端的髮髻是決勝重點，如果髮髻捲得夠好看、夠自然，看起來就像是一朵綻放的花，不必額外追加髮飾也很美。想要做出一個成功的髮髻，那麼除了捲度之外，頭髮不要拉得太緊，加強蓬鬆感是很重要的。

side

back

聰明的選擇自己想要的風格
都會女優柔的
漂亮首選

28

素人成為達人的不敗流行教科書，《MORE》邀請了很多的專業達人像是品牌公關或是講師來親身講解，對每一個專題都能深入報導，每一張圖片所配上的文字都有很清楚的分析和介紹。《MORE》也捧紅了玲奈，玲奈這個名字逐漸在造型界裡成為一個代表性的名詞和風格。擁有專屬網站介紹琳瑯滿目的流行商品和時尚穿搭，是淺顯易懂的時尚雜誌。想立志成為都會裡的時尚焦點，就不能不讀《MORE》。

START

01

(1)前額劉海由內向外先上大髮捲。這樣劉海做出來的造型就不會太塌。
(2)將頭頂的髮量預先用大夾子夾起來。頭頂部分的頭髮放在最後做造型的目的，主要是為了在後腦勺做「小動作」製造出立體感。

02

抓起下方的一小股髮量，用黑色夾子穿過黑色塑膠圈的方式固定住。這種綁頭髮的方式，目的是在讓髮束貼著頭皮，方便接下來的造型。

03

剛才我們用橡皮筋和髮夾做成的這個髮束根部，就剛好可以用來戴上具有增加髮量效果的增高器。

04

放下步驟1預留的頭髮，以順時針方向由外往內捲，最後用黑色夾子將這個髮捲固定覆蓋在增髮器的下方。

05

最後將這個髮捲，以黑色夾子固定在右後方。

06

從左後方抓起1/3髮量，以順時針方向往右邊捲去

吼奇蹟
強力定型控制、不黏膩、易梳理、柔順、豐盈，也能抗熱、抗潮濕。

TIPS
依個人需求，取適量塗抹於濕髮後，使用烘罩吹整塑型。

整個頭型非常有立體感；而自然垂墜在右方的頭髮則顯得十分浪漫自然。髮捲的部分像自然綻開的花朵，即使不別上髮飾也很迷人喔！

spring style

TIPS

想要打造spring的清新自然風，只要強調髮型線條、畫龍點睛地搭配上低調小重點，就可以成功營造出美麗女神的氣息。

side

back

展現『甜美』『清新』魅力
的時尚教科書!!

30

隨著時間改變，女人在意的話題也不一樣。《VERY》正是一本為30歲的女性以及有小孩的年輕媽媽企劃的時尚雜誌，在服裝及配件單品上走精緻質感路線，再加上穿著搭配建議，提升輕熟女們高品味的流行感。另外，化妝、吃的或擦的保養品話題提供了熟女們充實的美容資訊，並且收錄了許多主婦關心的生活話題，就算是邁入3字頭的輕熟女，也能夠成為兼具美麗內涵的時尚美人。

START

01

抓起耳朵以上的髮量，並且將髮束稍微梳攏整理。

02

左手將髮根的部分固定住，右手則逆時針的方向漸漸將頭髮捲起來。

03

將這個髮捲以髮根為中心，最後固定在髮根右邊的部分。再用螺旋夾穿入右邊髮捲中，就可以固定住這個髮捲了。

04

同樣地，髮捲左邊也用螺旋夾以相同的方式固定住。

05

將剩下的頭髮以順時針方向，向上扎實地捲起來。

06

將頭髮往上盤捲後，以兩根黑色毛夾將這個髮捲固定在頭上。

07

右上方髮尾的部分，分成兩束。其中一束以順時針方向，向下繞過髮捲，最後用黑色毛夾固定在左後腦勺。這樣子，髮捲的部分就被遮蓋起來了。

08

將另一束髮尾，繞到左前額，用U形夾固定住。

09

最後使用髮膠將整理好的頭髮固定住就可以了。

TIPS

造型完，最後一個步驟噴上VO5，定住自然的美麗瞬間！

VO5（定型液）
自然定型，創造動感撥動順髮。

可以防潮哦！

35

Oggi charm
2
優雅淑女

TIPS

展現大方優雅絕對是Oggi美人
一定要有的元素，自然的髮型
線條及浪漫感的捲度，輕鬆就
能打造出優雅風貌。

side

back

睿智女人的全方位流行聖經
『自信』&『美麗』
讓女人嬌豔綻放！！

走優雅氣質路線的《Oggi》雜誌，提供OL最適合的穿著建議；以第一手資訊完整呈現最新流行時尚。此外，關於上班族最想知道的企劃，例如基本肌膚保養、彩妝技巧、健康飲食情報等都有詳盡的報導，可說是一本全方位的職場美人情報誌。想擁有像《Oggi》封面專屬模特兒般的美麗氣質嗎？快參考《Oggi》就可以實現妳的美人計囉！

START

01

將頭髮分成上下兩區。上區頭髮用大夾子夾起來，下區的頭髮則用黑色橡皮筋紮起來。

02

下區的頭髮用電棒捲由外向內捲，先增強捲度。

03

取下上區的夾子，拉高這一股頭髮，將頭髮增高器置入在頭髮下方，這樣能營造自然優雅的後腦勺弧度。

04

將上區的頭髮也用黑色橡皮筋紮起來。

05

將上區的頭髮向上扭轉，整個收在後腦勺右方，最後用黑色夾子固定。（這一區頭髮目的在增加後腦勺的立體感。）

06

將下區的頭髮向上扭轉。在接近髮根的部分，用左手抓出一個小髮髻，髮尾則讓它自然落下。

07

用黑色螺旋夾固定小髮髻。

女王蜂 蓬蓬水
使頭髮蓬鬆，髮量增多，營造自然不造作的柔和空氣感。

TIPS

噴於濕髮上，再使用吹風機即可。

完成之後，從後面看起來的感覺就像圖片中一樣；右下角的髮髻顯得很有古典美。

Sweet girl

優雅淑女 **3**

TIPS

想要擁有像SWEET女孩般的時尚風格，大量運用浪漫甜美元素在造型及髮型上，就能營造出甜美可愛氣息囉！

side

back

學會讓造型更時髦的技巧

28歲一輩子『時尚』宣言!!

《SWEET》創造大人版的可愛style，介紹的單品琳瑯滿目，絕對能讓妳直呼：「卡哇伊！」《SWEET》經常介紹各大服裝品牌每一季流行的單品元素，也教大家如何穿出性感和甜美。只要抓住重點單品，跟著《SWEET》的模特兒一起學習流行穿搭技巧，就可搭配出令人驚豔的造型！另外，《SWEET》豐富的彩妝商品、髮型DIY等單元內容也是讓女孩們討論不斷、愛不釋手的原因。

START

01

將頭髮分成上半區和下半區。下半區的頭髮再分成三區。分別用大夾子預先固定好，之後用電棒一股一股地陸續做出捲度。

02

做完捲度之後，放下頭髮，戴上準備好的大朵花髮箍，其實就可以變成一個好看的LOOK。想要挑戰的美眉可以再進階往下做出更有氣勢的大蓬頭。

03

取下大夾子，先將下方中間區的頭髮用黑色髮圈綁好。

04

取下大夾子，將下方左區的頭髮梳整好。

05

將下方左區的頭髮貼著頭向上捲，最後落在中間這一區的髮束上，用黑色毛夾固定。

06

取下大夾子，將下方右區頭髮梳整好。

07

將下方右區的頭髮用同樣方式貼著頭向上捲，最後落在前面兩束髮交疊處，用黑色毛夾固定。

08

取下大夾子，將上面這一區頭髮自然地放下來，然後以鬃扁梳逆刮抓蓬。

09

最後以U形夾將上面這一區頭髮的髮尾部分，固定在下區的髮鬃上。

蘿莉髮蜜
輕盈秀髮的基礎護理油，隨風飄逸，在律動之中，飄逸玫瑰香氛，令人忍不住地想觸摸的衝動。

TIPS
取適量放在手掌心中均勻抹開，塗抹在吸乾的濕髮上。以髮尾為主揉入整體後，再將頭髮吹乾即可。

InRed *life*

TIPS

溫柔中不失個性的髮型及服裝單品，最能展現InRed女孩的風格。波浪捲及軟呢荷葉袖就是這類元素的代表。

蓬蓬粉
輕盈不沾膩，具有固定力超持久，油性髮質專用的美髮聖品。

TIPS 可直接倒適量在頭髮上，或只可以先倒在手上，就像髮蠟抹在髮根，但不觸碰到頭皮。讓頭髮從髮根就能蓬鬆！

side　　　　back

成為眾所矚目的智慧女性！
30代女性流行
Leader No.1

《InRed》雜誌封面以小泉今日子、YOU為代表。這個年紀的輕熟女所涉略的領域不再只是服裝，因此除了服裝單品配件介紹之外，也推出了休閒、電影、餐廳、旅行景點的企劃。另外，生活居家的布置也是這本雜誌吸引讀者的重點，幫助妳提升生活品味，展現輕熟女的獨特魅力！

01

將手指深入頭髮抓蓬。

02

抓起1/3髮量，在接近髮根的部分撒上造型粉。
（注意不要撒在頭皮上。）

03

將頭髮分成(1)劉海 (2)左側上下兩股 (3)右側上下兩股 (4)中間上下兩股等七股，分別上髮捲。

04

拆下劉海之外的髮捲，將左右以及中間上股已經有捲度的髮束，用大夾子固定。將其他的頭髮以順時針方向捲起來。

05

將髮捲以稍微蓬鬆的方式固定在後腦勺。

06

留下劉海以及中間上股的頭髮，將其他用大夾子預留的髮束放下來，順著頭髮的捲度略微蓬鬆地分別用黑色毛夾輕輕固定在頭髮上，製造出垂墜的感覺。

07

將中間上股的頭髮，用尖尾梳由髮尾向髮根方向刮出蓬度。

08

最後用U型夾將這股頭髮分散固定在髮髻上。

VOGUE style

tips

強調前衛時尚的《VOGUE》雜誌，展現出女性的自信品味。因此，VOGUE美人最重要的，就是利用誇張但不繁複的配件來搭配整體造型，加上前衛感的妝容，就能打造出品味不凡的美感。

side

back

引領流行
挑起妳『時尚』DNA！

『愛時髦』『懂時尚』
show 出自我

有「時尚聖經」之稱的《VOGUE》是一本國際性時尚雜誌，介紹來自巴黎、米蘭、紐約等城市的頂尖時裝設計及各大品牌的風格趨勢，是許多時尚工作者的參考指南。《VOGUE》經常解析藝人出席各個品牌記者會的服裝穿搭，要培養妳的國際觀及走在時尚尖端的品味，《VOGUE》絕對是必讀的時尚聖經。

01
將頭髮整個梳起來，落在左後腦勺，用黑色細髮束紮起來。

02
利用電熱捲，將髮束分成三股，由外往內捲起。

03
用左手將髮束整個輕輕地拉高，以右手手指將下方的頭髮往外拉蓬，這樣後腦勺會比較有立體感。

04
拿出甜甜圈套入髮束，以便製造出豐厚的髮感。

05
記得用黑色毛夾將甜甜圈固定在髮束上面。

06
將馬尾髮束輕輕地拉開抓蓬。

07
用手當梳子刮蓬馬尾。

08
慢慢地將三束頭髮依序繞著甜甜圈包圍起來。

09
最後用黑色毛夾將髮尾固定在收尾處。

10
落在後腦勺的髮束尾巴也用黑色毛夾固定好，看起來就不會太凌亂。

11
用尖尾扁梳的尖尾部分將緊貼前額的頭髮稍微挑起來，製造出好看的弧度，看起來才會有立體感。

12
在頭髮兩側噴上定型液。

13
用尖尾扁梳將頭髮兩側梳整齊，收齊雜亂毛髮使它服貼。

14
最後夾上誇張的黑白緞面蝴蝶結髮飾就大功告成囉！

TIPS
造型完，最後一個步驟噴上VO5，定住自然的美麗瞬間！

VO5（定型液）
自然定型，創造動感撥動順髮。

裝苑 design

TIPS

想要成為「時尚極品」的裝苑女
孩，自信態度是決定一切的關
鍵要點。不管是服裝或髮型、髮
飾，都可運用線條簡單、元素誇
張的單品來搭配，營造出如巨星
般的自信美感。

融合流行元素
與時尚精神的潮流雜誌
藝術薰陶 靈感的來源

side

back

裝苑
SO_EN
8

東京
ガールズファッション
の現象

リ・クリエート

《裝苑》對我來說是一本很有感情的雜誌，以前在日本服裝學院就讀時，陪伴我的就是《裝苑》。這本雜誌除了介紹很多日本設計師的作品，更深入每一位設計師的 lifestyle，了解他們的靈感來源。融合藝術與文化精髓的《裝苑》經常舉辦時裝比賽，是培養時尚工作者的搖籃。《裝苑》精神就有著無限可能性，它大膽運用所有流行元素，形成前衛衝突的美感，展現出一種完全自信的風貌，是一本深入時尚研究的刊物。

START

01 抓起頭頂髮量，撒上造型粉（不要直接撒在頭皮上）。

02 用尖尾扁梳由髮尾往髮根逆刮，使其蓬鬆。

03 使用造型液，將頭髮盡量抓得自然蓬鬆。

04 頭髮蓬鬆程度一定要如圖示效果才OK喔！

05 正面劉海線條則盡量維持乾淨。

06 將大蝴蝶結髮飾插入左上方約1/3頭髮處。

07 運用距離頭頂約1/3的髮量，捲出一個髮髻，作為支點。

08 將側邊的頭髮，用黑色U形夾往後收。

09 後面的髮束不要收得太乾淨，刻意呈現的線條感要表現出如瀑布般、很有氣勢的樣子。

蓬蓬粉
輕盈不沾膩，具有固定力超持久，油性髮質專用的美髮聖品。

TIPS 可直接適量倒在頭髮上，或可以先倒在手上，再像抹髮蠟一樣抹在髮根，但不觸碰到頭皮。讓頭髮從髮根就能蓬鬆！

45

ELLE look

TIPS

想要給人自信美麗的時尚美感，
重點就是在於「氣勢」。利用誇
張但卻有型的配件如花朵髮飾、
項鍊、墨鏡、戒指等，就是成功
造型的重點。

side   back

時尚養成速成祕笈
模仿好萊塢女星的美麗祕密

46

如果妳羨慕好萊塢明星的穿著打扮，就一定不能錯過《ELLE》。它將女星身上的單品配件一一分析介紹，讓妳也可以在生活中找到相同的流行元素，打造出好萊塢巨星般的服裝造型；它帶妳了解各品牌甜美、性感、優雅、個性……等不同的風格，直擊時尚名模們的秀場實況，窺探名模和巨星們最愛的服裝單品、彩妝祕密，藉由學習模仿，妳也可以朝巨星風采邁進。

START

01 前額瀏海預先用大髮捲由內向外捲起來。再抓出頭頂部分的髮量。

02 將頭髮增高器墊在頭頂後方的髮量處。

03 將抓出的頭頂髮量與兩側頭髮一起編出兩段髮辮，往後端扭捲。

04 利用黑色毛夾插入髮捲中，將整個髮辮固定住。

05 用鶴嘴夾將這個髮辮先夾在頭頂上，以便於做造型。

06 抓出右邊耳朵上方的一股髮量，往左邊扭捲過去。

07 放下預先用大夾子夾起來的髮辮，將這個髮捲疊在上面，用黑色毛夾由上而下插入固定。

08 左邊也同樣抓起一股髮，往後腦勺中央捲去，疊在6的髮辮上。最後用黑色夾子由上而下固定。

09 從左邊下方再抓起一股髮，往右邊扭捲過去，疊在之前的髮辮上。

10 最後落在右上方，同樣用黑色毛夾由上而下固定。

11 接著拆掉前面的大髮捲。

12 戴上準備好的華麗髮箍。

13 最後在瀏海上噴上定型液，讓造型更完美。

14 髮尾則利用電棒由外往內再加強一下捲度。

增高器
名媛風的蓬鬆感，修飾頭型的弧度。
TIPS 直接將魔鬼粘的增高器放在需要增高的頭形上即可。

NYLON creative

想要成為休閒的NYLON女孩，
簡單中卻帶著自信的元素絕對不
能少。不管是服裝上或髮型上，
都要能大膽地表現出自己的想
法，沒有規則、創造驚喜，就能
夠有獨一無二的NYLON style。

SIDE

BACK

個人色彩鮮明的
潮流時尚刊
個性帥氣鮮明的美式風格！

美式時尚雜誌《NYLON》日文版強調色彩鮮明的風格，常用創意的手法來表現時尚，《NYLON》不管是封面模特兒或是內頁單元的素人模特兒，都以冷冽的表情眼神及個性化的服裝造型搭配來吸引讀者，推薦的單品更給人高質感的時尚感，與日系可愛雜誌風格截然不同，是本融合時尚與創意元素的流行服裝誌。

START

01
前面劉海由外往內上髮捲，讓劉海線條有蓬鬆好看的弧度。

02
抓起髮束，撒一點蓬蓬粉在髮絲上，營造蓬鬆感。

03
將撒過蓬蓬粉的髮束大面積地快速搓揉抓整，讓粉末均勻附著。

04
將後面髮絲呈撕開狀地撕出帶點凌亂狂野的線條。

05
將頭頂三分之一的頭髮內收做一個髻用黑毛夾固定。

06
略抓起左邊一束髮束編三股辮。

07
辮子往中間髮髻處攏靠纏繞，並用黑色毛夾固定。

08
將扭轉的頭髮反折，往中間固定。

09
再同樣抓起右邊一束髮束編成三股辮。

10
將左右兩側的辮子往中間聚集固定，做為固定假髮底座。

11
戴上假髮片固定在基座上。

12
接著將中間髮束往後腦勺髮髻盤繞，用黑色毛夾固定。

13
用電棒捲由外向內捲出漂亮捲度。

14
用手抓整頭髮捲度線條，讓它看起來較為自然。

15
拿下劉海的捲子之後，用電棒由內向外捲出線條。

16
最後，再戴上頭頂的裝飾品即完成造型。

蓬蓬粉
輕盈不沾膩，具有固定力超持久，油性髮質專用的美髮聖品。

TIPS 可直接適量倒在頭髮上，或只可以先倒在手上，在像髮蠟抹在髮根，但不觸碰到頭皮。讓頭髮從髮根就能蓬鬆！~~

Fashion SPUR

TIPS

SPUR女孩的時尚感就在於
線條獨特的服裝剪裁,展
現出像是伸展台上模特兒
的自信。另外,具東方感
的花朵造型配件也是造型
重點。

side

back

流行無國界
同步擁有流行資訊

掌握西方時尚伸展舞台
脈動的東方日雜

西方流行時尚文化一向快速且多元，可說是國際性指標，不過，一些西方品牌卻不見得適合東方人，因此，《SPUR》雜誌便以東方人的角度來深入分析世界時尚的重點，介紹各國流行時尚文化。它不只是介紹現今流行的服裝品牌，介紹線上設計師的作品，也深入直擊時裝秀後台，並分析歌手們的整體造型。閱讀《SPUR》不但能與西方接軌，又能掌握世界脈動的流行資訊，是時尚界很重視的一本流行教科書。

START

01

從耳際上方、頭頂部位取部分髮量，左右交疊做編髮。

02

編髮過程中，從表面上的頭髮慢慢抓入新的一股加入，每一層都加入一股。

03

一直重複編髮動作直到髮尾處時，將髮束收回變成三股。

04

最後用黑色橡皮筋綁住固定，並將髮辮稍微拉整，讓它呈現寬鬆自然的線條。

05

最後戴上毛呢紳士帽，與甜美的穿著營造出個性的衝突美感，是一款能強調出個性的混搭造型。

隨意造型護
使秀髮豐盈、蓬鬆、亮澤，做造型又同時護髮，中強度定型力不會使頭髮毛燥乾澀。

TIPS
取適量於手心搓揉，塗抹在拭乾微濕的頭髮上，再吹乾頭髮。

Tuesday 2

Monday 1

3 Wednes

7 Sunday

想變就變，愛怎麼變都很「型」！

Thursday 4 俏麗典雅風

後方頭髮整個綰起的樣子，也可以不慵懶不死板，只要加上一點小技巧，加上髮箍，就能夠呈現一位具有時尚感的OL樣貌。而在這套衣裝的選擇上，深藍色展現工作幹勁，寬鬆造型也顯得大器。

TIPS
營造包頭花朵般的自然綻放

使用電熱棒的技巧能營造出好看的捲度。如果捲得非常地整齊好看，那麼繞包頭的時候就會很順手。另外一個重點就是，在最後一個步驟中，包頭軸心的方向，是決定這個包頭夠不夠自然有精神的關鍵。

start

01

在頭頂1/3的部分，將頭髮分成三股，做出一截髮辮，然後如圖所示，以黑色毛夾插入其中，將這一截髮辮固定住。

02

將所有頭髮由下往上，貼著頭髮捲上去，最後用黑色長髮夾插入包頭裡，固定住包頭的基座。

03

將這個包頭的髮尾部分，分成兩股，先個別使用電棒加強捲度，增強捲度之後，做造型就更穩也更得心應手了。

04

將捲好的兩股包頭髮，以交叉的方式旋轉，慢慢往頭部貼近。

05

用這些髮尾包覆住原本死板的包頭，看起來就會非常自然喔。

06

將這個包頭的軸心往上推，讓包頭軸心和頸部呈現平行，以這個形態，用黑色毛夾將包頭固定住。這個動作可以加大包頭的體積，而且可以增加包頭的穩定度。

Friday 5 氣質優雅風

經過了一週的辛勞之後，週五的打扮就不要再硬邦邦了。在週五的髮型上，我的思考是：如何讓美眉們能夠做一個造型，讓大家即使下班後也能立刻抓緊時間去約會，看起來亮眼。正面以亮片髮帶呈現OL時尚感，而紮成公主頭的髮飾則以粉紅色布質花朵，來呈現女性柔美的FU。上班時，妳可以將馬尾整個收在背後；下班之後，妳也可以將整個髮尾分成兩股披在胸前，以波浪般的秀髮，吸引住情人的目光。這可是每一位心機女孩都不能不學的髮型喔。

TIPS

頭頂抓蓬的效果，決定時尚感

由於東方人的頭型比較扁，如果要做成時尚的髮型，一定要將因為紮起而貼住頭皮部分的頭髮抓蓬，形狀才會好看。我們在這個造型上使用比較細緻的髮箍，將後腦勺的髮量增高，如此會展現出小顏的效果喔。

start

01

首先，先戴上雙層細版亮銀色髮箍。

02

從耳後抓起一股頭髮，用黑色髮圈綁好。在綁的過程中，就一邊將頭頂的部分抓蓬，增加頭型的好看度。

03

在綁好的頭髮上，夾上粉紅色布面花朵香蕉夾。粉紅色強調柔美，而香蕉夾則是呈現優雅的必備髮飾。

04

將馬尾成一股，以及下方所有頭髮的部分分成兩股。分別以電棒加強馬尾部分的捲度。一定要「提升」髮尾捲度，整個造型才會有精神。

05

最後再將下方分成兩股的頭髮，分別用電棒捲加強捲度。雖然這個造型重點在於馬尾，不過如果下方的髮尾沒有整理好，可是會大大扣分喔。

Saturday 6 自然甜美風

在穿著上，一般的棉質白色上衣，可以給人十足的親和力。但是這樣的服裝比較樸素，所以我們在頭髮設計上，就要多下點工夫。即使是整頭披垂的鬆髮造型，也要想辦法做出與眾不同的感覺。

TIPS

辮子就是這個造型的心機所在

單邊的一股辮子，就能做出少女活潑、奔放的感覺。不過如果這股辮子編得太死板，那就會顯得比較土氣了。大家不妨來學習一下，怎麼綁出充滿時尚感的辮子吧。

start

01

首先將前額瀏海以及頭頂部分的頭髮，用兩個大髮捲捲起來備用。接著抓出左側一小股頭髮，貼著頭皮編出一股髮辮。（訣竅就是：先抓出兩股髮量，在編的過程中逐一加入第三股髮編下去。）

02

把左側的辮子尾端用手抓鬆，讓它呈現自然感。（主要是抓鬆辮子尾端就好了。）

03

除去左右各兩小股頭髮之外，將後面的其他頭髮分成五區，用大夾子夾起來。而將右側也抓出一小股頭髮，用電棒加強捲度。

04

取下兩個大髮捲，完成正面的捲度。接著將前額瀏海整理好就完成囉。

7 高雅仕女風

一般重要的聚會總是安排在週日,例如婚宴、家庭聚會、同學會……等等。在這些聚會當中,我們需要思考一個比較正式、又不會太沉悶的髮型,而這種俏麗的半包頭,就很適合出席這類場合。在服裝上,貼身的黑底白色愛心圖騰,能夠讓妳看起來顯瘦,而又有那麼一點俏皮的女人味。

TIPS
瀏海抓蓬展現高雅時尚感

包頭若要有時尚的感覺,取決頭髮盤起來的位置,以及自然凌亂的線條,瀏海一定要抓高抓蓬,才能將臉的線條比例拉長。

start

01

將前額頭髮分成三等份,取出中間這一份,用髮捲捲起來備用。

02

將後方其他部分的頭髮,分成上中下三股,其中上股和中股,分別用黑色髮圈綁起來。

03

先做中股髮辮,之後往內摺進去,用黑色毛夾固定住,接著再做上股髮辮。

04

將編好的辮子拉開,讓編好的辮子看起來不那麼工整。

05

將中股髮辮自行繞成一個包頭,最後用黑色毛夾固定在後左上方。

06

將下股摺好的髮辮,往上盤,用黑色毛夾固定住

07

取下前額的大髮捲,將這一股頭髮以順時針方向貼著頭皮扭轉。不需要全部扭轉,要記得留一些髮尾的部分做瀏海造型喔。

08

將扭轉的髮辮基部,用黑色毛夾固定住。

09

髮尾的部分就是要做成瀏海。先將這段髮尾分成兩股,分別用梳子刮蓬。

10

最後將這段髮尾繞過左前額,用黑色毛夾固定在左上方。這樣別具巧思的瀏海,就是時尚最IN的瀏海。

11

用定型液將這個瀏海固定住。如此一來,走在流行尖端的俏麗髮型就完成囉。

Monday 1 率性自然風

俐落一點的造型總不外乎小包頭。不過包頭可以很瀟灑、可以很柔美,當然也可以很典雅。中長髮的美眉很適合典雅的造型,不如就以它來展現一週的工作態度吧。

before

TIPS

髮圈的位置決定時尚態度

髮圈的位置非常重要,太前或是太後面,都會給人非常突兀的感覺。所以,髮圈的位置需要根據造型不同而作調整。在這個造型當中,髮圈營造出有個性的典雅氣質。

start

01
將前額瀏海全部往後梳,戴上髮圈。髮圈的位置要戴在髮際前方,這樣才能展現個性。

02
馬尾的位置低於耳下,在綁之前,將整頭頭髮向右扭轉,再用橡皮筋綁起來。

03
拿出另一個黑色髮圈,很隨性地將髮尾部分做出一個髮髻。

04
將這個髮髻落在左上方。

05
利用黑色毛夾,將這個髮髻固定住。

06
最後,將貼近後腦勺的頭髮髮量抓蓬。

Tuesday 2 可 愛 優 雅 風

在工作的同時，當然也要讓自己的桃花運持續上升。週二是很需要元氣的時光，而可愛就是女人的元氣所在。想要這種元氣一點都不難，只要最時尚的日式美眉包頭，加上側邊的蝴蝶結，就能讓妳可愛破表！

TIPS

使用大腸圈是美眉的基本功

大腸圈的出現改變了時尚風潮。過去多數美眉想做出包頭，都會遇到技巧上的難度，而大腸圈的出現，真是拯救了所有美眉。如果妳還不知道怎麼使用大腸圈，那麼一定要好好看這個造型解說。

start

01

將整頭頭髮綁成一個髮尾，最後用黑色橡筋固定在接近頭頂的位置。

02

將這個馬尾穿入海綿寶寶中。

03

將海綿寶寶拉高，由後方往前方捲起來，一路捲到接近根部的位置。

04

將海綿寶寶兩側向下摺，彎成一個圓狀。

05

包頭輕鬆完成之後，記得要用手抓蓬包頭下方的頭髮，這樣造型才會自然。

06

在左眉尾延續上去線條的落點上，加上蝴蝶結造型髮飾，就大功告成囉。

Wednesday 3 浪漫吉普賽風

週三還是一個頗有壓力的時光，想要放鬆心情，不妨在髮型上來點變化吧。在服裝上，盡量以寬鬆的造型、舒服的質感為主。而在造型上，帶點俏皮味道的髮辮，則增添了幾許活潑氣質。

TIPS
髮辮決定特色

一路延續到包頭的髮辮，正是這個造型的特色。而髮辮位置的偏前或偏後，也會讓整個髮型感大不相同。

start

01
將前額劉海以髮捲固定。將整頭髮量分成左右側邊，以及後方兩股，分別編出髮辮。

02
將後方兩股髮辮交纏。

03
交纏之後向上摺起來，用黑色毛夾固定在右側髮辮根部，形成一個髮辮小包。

04
將左側的髮辮捲在這個髮辮小包基座上，用黑色小夾子固定。

05
將右側的髮辮捲在這個髮辮小包基座上，用黑色毛夾固定。

06
取下前額髮捲。將劉海部分整理好，以整齊為主。

7 自然可愛風

週日想要在家裡當個宅女，或是出外和朋友逛街，想要在輕鬆自在之中展現用心打理過的自己，那麼，這個可愛的造型絕對適合妳。

TIPS

兩股髮辮就讓妳輕鬆出門

週日的氛圍就輕鬆自在的。妳可以和朋友來個簡單的約會，或是和男友共進午餐，而這個時候的心情也是很輕鬆的，處於最舒服的狀態。這個時間不適合太隆重的髮型，但也不能太邋遢，該怎麼辦呢？只要兩股簡單的髮辮，就可以讓妳輕鬆出門囉。

start

01

將頭髮分成五區，分別用造型夾固定住。

02

將這五股頭髮，分別用電棒捲加強捲度。

03

從前額劉海的部分，拉出兩股頭髮，一邊往後編，一邊加入第三股。大約往後編到後腦勺中央就可以了。

04

右邊用同樣的方式，也做出一股髮辮。

05

最後將這兩股髮辮尾端，用黑色橡皮筋綁在一起。

06

戴上毛線針織花朵髮飾。

07

最重要的動作來囉，記得在後腦勺稍微將服貼的頭髮抓出一個弧度，讓整個頭型更好看。

08

髮尾的部分也要整理喔。

短髮

Monday 1 清新亮麗風

上班的第一天不要太過blue，讓我們來點舒服的LOOK。整齊又自然的造型，能夠減輕妳面對週一症候群的壓力，也能改善妳的心情喔。

before

TIPS
畫龍點睛的假髮是關鍵

短髮美眉們如果想要呈現綁頭髮有髮尾的效果，那就非得借助假髮不可。現在市面上有各式各樣流行假髮，無論是包頭、劉海，還是這次所使用的髮尾，都應有盡有。假髮能夠協助美眉們在造型上更便利也更得心應手，讓我們一起來看看，如何使短髮美女變身成為有著俏麗髮尾的美人兒吧。

start

01 將左側抓出一股頭髮，沿著頭皮編出一股髮辮。這種方式的訣竅就是：一開始先抓出兩股頭髮，而在往下編的過程中不斷新加入第三股頭髮。

02 將這股髮辮逐漸往後方編去，最後用黑色橡皮筋固定住。

03 將其餘髮量簡單地用黑色橡皮筋紮起來。這樣整個頭髮都收乾淨了，準備好裝置假髮片。

04 裝上和頭髮同色系的假髮。假髮上通常有固定夾，直接將它固定在右邊黑色橡皮筋綁的支點上。

05 加強線條感，可利用U型夾來調整髮流。

06 將準備好的紫色絨布材質的蝴蝶結髮飾，裝置在左後方頭髮和假髮的交界處。

07 最後將前額劉海抓出一個弧度，用定型液固定在前額左側。

70

Tuesday 2 典雅柔美風

週二上班的元氣還在逐漸恢復當中，不妨用浪漫的造型來轉換一下心情。帶有浪漫線條感的波浪捲，再搭配淡粉紅色系上衣，讓妳成為辦公室裡最吸睛的目光焦點。

TIPS

用清純短髮做出甜美浪漫造型

原本的清純短髮也能利用電棒捲做出甜美的浪漫感，看膩了千篇一律短直髮造型的美人兒，非常適合利用這個好用小工具幫自己變換造型。只要花上少少的時間，上班出門前就能簡單sado，不需要上沙龍也可以自己做出好看的髮髮線條，為單調的生活增添俏皮趣味。

01
將頭髮如照片所示的區域，用夾子事先分成六區。

02
將前額劉海以髮捲由外而內向內捲。

03
取下右邊的夾子，以電棒捲將該區域的頭髮由外向內夾捲。

04
以同樣的方式再取下後方區域的夾子，以電棒捲將該區域的頭髮由外向內夾捲。

05
以同樣的方式分別將六區的頭髮都夾捲之後，以蓬蓬粉撒在頭頂區域靠近髮根的地方，營造頭髮的蓬度及線條。

06
以手稍微搓揉電棒捲夾過的線條，整理出頭髮的波浪線條感。

Wednesday 3 花邊教主風

在一成不變的生活中，給自己一點玩樂嬉戲的心情是一定要的。只要在造型上動一點腦筋，就能夠讓妳看起來青春洋溢。

TIPS

玉米鬚燙的效果是祕訣

這個髮型重點在於提升後腦勺的高度，使頭型更有立體感更好看。而我們使用的方法有兩個：一個是在內部頭髮編辮子，一個則是使用玉米鬚燙的夾子，用玉米鬚燙的效果把頭髮撐起來。重視頭型的美眉們學到這兩招之後，也可以自行變換出各種好看的髮型喔。

start

01

預留接近頭頂避開兩側的髮量，取出下方的頭髮，用玉米鬚夾製作出蓬鬆度。

02

03

04

05

06

07

將後方中上方的髮量全部用造型夾夾住。接著將左邊這一股頭髮抓出來，沿著頭皮向著後腦勺中央編髮辮。

右邊也抓出一小股髮量，同樣地貼著頭皮，向著後腦勺中央編髮辮。

將左右兩股髮辮交會在後腦中間處，用黑色橡皮筋綁好。

取下造型夾，將上方的頭髮放下來，並且從裡用梳子刮蓬。如此一來，透過玉米鬚燙的鬆髮和刮蓬的效果，就可以使頭頂增高了。

最後噴定型液將造型固定，這樣頭髮就不會塌回去喔。

前額的劉海也從右往左抓出一個弧度，用定型液固定。這樣的劉海也是造型上很吸睛的部分，因為它的弧狀整個繞過前額，非常具有時尚感。

Thursday 4 韓流女孩風

我一直覺得，無論女性在職場上表現多亮眼，都不能為了表現專業，而讓女人味一點一滴流失。一般人覺得留長頭髮才有女人味，但我也要教喜愛俏麗短髮的女性們，具有女人味的造型。

TIPS

用馬尾和捲度塑造小女人風味

想要展現小女人的浪漫風情，用馬尾和鬈髮來表現，絕對是最佳造型要點條件。紮起給人甜美自然感覺的馬尾，立刻增添不少年輕活力的印象。不過若是想要帶點上班族小小的成熟感，不妨就用捲度線條和髮飾來加強，就能擁有兼具甜美和浪漫感的造型囉！

start

01

抓出頭頂區髮量，使用造型夾固定住。

02

抓出中間區髮量，整個往上梳，用黑色橡皮筋固定在接近頭頂的地方。

03

接著髮束做成一個簡單的髮髻。再由下往上捲起，髮尾的部分用黑色小髮夾，固定在髮根黑色橡皮筋束起的點。這樣就做成一個很可愛又自然的小髮髻了。

04

使用很適合秋冬的絨毛髮束，將這個小髮髻和下方這一區的髮量，全部紮起來，固定在小髮髻的落點上。下方這一區左右要各留一點髮量，這些自然垂落的頭髮，是為了讓整體線條有柔美的感覺。

05
下方紮不起來的毛髮，用黑色毛夾，由下往上固定住。這樣能增加整齊清爽感。

06

使用電熱棒將瀏海捲度加強。製造出浪漫的曲線也可以修飾臉頰的線條喔。

73

Friday 5 典雅氣質風

包頭是進可攻、退可守的造型。一個清爽的包頭,能夠幫助妳在職場上展現俐落,而重視頭型的抓蓬技巧,則呈現時尚感。最後再加上可愛的蝴蝶結髮箍,那麼妳週五夜晚的約會,肯定很完美。

TIPS

髮尾的「跳」,決定活潑的感覺

短髮因為髮量不多,所以如果要呈現很柔的感覺,就要依賴包頭後方髮尾的線條。在這個造型當中,偏一方的髮尾高度要大約呈現30度角,如此看來,上班時間就不會顯得太誇張,而下班之後又可以展現出女人味。

start

01
戴上準備好的蝴蝶結造型髮箍。

02
用電熱棒將頭頂的髮量做出捲度,好增加包頭「看起來」的分量。

03
在頭頂這股頭髮的下方,噴撒造型粉。這能夠幫助妳做造型過程中,頭髮乖乖聽話,不會塌回去。

04
從頭頂這股頭髮內部用梳子逆刮刮蓬。

05
在低於耳下的位置綁一個馬尾。

06
將上區的頭髮圍繞基座,用黑毛夾固定住,記得要邊調整頭型喔!

Saturday 6 簡單舒適風

換上舒服的棉質洋裝,這一天是屬於妳的悠閒時光。繫上甜美可愛的大蝴蝶結,展現青春奔放的女孩氣息。

TIPS

小馬尾的高度是重點

這個髮型並不難,因為大蝴蝶結髮飾就已經搶去了不少風采。不過,小馬尾的高度仍然非常重要,拿捏得愈好,這個髮型就愈成功。

start

01

抓出劉海部分和頭頂的髮量。

02

直接在頭頂的部分做出小馬尾,用橡皮筋固定。

03

調整頭頂的弧度,最好是有一點高度蓬鬆的感覺。

04

加入大蝴蝶結髮飾。

05

記得把小馬尾用梳子刮蓬。

06

下方髮尾的部分,也盡量用髮梳刮蓬。

07

最後用手整理全頭頭髮,使它更蓬鬆有型。

前 衛 個 性 風

週日絕對是屬於妳自己的時光。妳可以愛逛街就去逛街,愛跑趴就去跑趴,最重要的是,找回一週五天都被壓抑的自我。短髮非常適合輕鬆自在、帶點自我風格的都會風格,就用這樣的造型在城市裡自在遊走吧!

01

將正後方的頭髮分成上中下三區,其中上區和中
區的部分,用造型夾固定住。再將左右兩股髮
量,也用造型夾固定住。我們準備分區好好加強
頭髮的捲度囉。

02

使用電熱棒,先將未用造型夾固定住的髮量分成一
小股、一小股,逐一加強捲度。接著由下而上、逐
一取下造型夾,分次將這些部分的髮量也做捲度上
的加強。做好捲度之後,髮型看起來就會更亮麗。

03

全部髮量都做好捲度之後,接著取一股接近頭頂
這個部分的髮量。

04

以黑色橡皮筋將這股頭髮固定在頭的後上方。髮
尾的部分盡量讓它蓬鬆有型,不要太死板。

05

套上和頭髮同色系的甜甜圈髮飾,這個有分量的髮
飾對照起小小的馬尾,就會呈現一種衝突可愛的趣
味。

06

一邊將頭髮髮根之外的部分抓蓬,增加立體感,
一邊使用定型液固定造型。

07

最後再用手將頭髮整體造型做最後確認。

甜心蘿莉髮妝蠟
(自然空氣)

雙手要深入髮中,以抓、搓、揉方
式,使頭髮能自然蓬鬆。

TIPS

只要米粒般的大小,抹在頭髮上,
過多會造成髮尾過重而扁塌。

愛美不再敗金！小氣也可以很時尚！

對美眉們來說，每一季的治裝費有限，但卻很想在造型上千變萬化，該怎麼辦呢？有沒有可能，花少少的錢治裝，每天在造型上變化出多種面貌呢？當然沒問題！我要來拯救小氣時尚女了！只要在髮型上做一點小小的變化，再加上飾品搭配的巧思，即使同一套服飾，也能展現出女孩的不同面貌喔！從此，時尚女再也不等同於拜金女，節省荷包和追求流行裝扮，絕對是不衝突的事情了！現在，就讓我們來看看好看有型的魔髮造型吧！

愛美神的變裝魔髮術

有型有款魔髮造型

一衣三穿

2

3

俏麗時尚女孩

簡單的灰色棉料洋裝，也能透過不同髮型呈現，讓妳展現出優雅活潑。利用精緻的前額髮辮，創造出有古典風味的氛圍。

TIPS

緊貼著頭皮的髮辮，是追求時尚造型女孩的魔法基本功。在前面已經介紹過需要用到這種編髮方式的髮型。這一次，讓我們將這種編髮方式運用到前額劉海部分，令人眼睛為之一亮。

服裝穿搭 **TIPS**

長版時裝洋裝，配上蛋糕式的短褲，
展現俏麗少女的style，再搭上今年流
行的毛靴，能修飾腿型，讓腿在視覺
上看起來更細一些。在髮型上也用編
髮呈現俏麗的一面唷！

start

1 將上半部頭髮一半的髮量往前
梳。這一部分的髮量，左為劉
海編髮。

2 抓起右上方兩小束頭髮，開始
編髮。每編一截，就加入一股
新的髮，緊貼著頭皮編髮。這種編
法讓每一股髮的紋路明顯，即使沒
有髮飾，也能讓造型很跳。

3 由右而左，繞過前額持續編
髮。

4 最後將這股髮辮在左耳收尾，
前額這條髮辮就繞出了一個美
麗的弧度了，非常迷人。

5 將這股髮辮用黑色橡皮筋固
定。

6 利用黑色毛夾，將這股髮辮收
在耳後。

7 我們再將後面的頭髮分成上、
中、下三區。

8 先取下最下區的造型夾，用電
熱棒增強捲度。然後是中區、
上區分別用電熱棒增強捲度，接下
來，整個造型就完成囉。

甜美浪漫風

少女的純潔氣息藏在一絲不苟的質順髮裡，而大朵花飾則增添了天真爛漫。

start

服裝穿搭 TIPS

只單穿one piece洋裝，搭上黑色不透膚色絲襪，完全顯出腿的優勢，有氣質又不失小小的性感，服裝上沒有太多的裝飾，因此，髮型就可以再誇張一點，讓全身有一個令人注目的焦點。

1 抓出半頭髮量，分成兩側和中間三股。將這三股髮抓在一起，用黑色毛夾固定在頭的中間點。

2 預留耳垂前方部分髮量做為劉海。將預備好的花朵髮箍，沿著耳垂前方的線條戴上。

3 為前方的髮量噴上造型液，這樣劉海就能固定了。

時裝 L

都會搖滾風

帶點自我意識的前衛風格，在服裝造型上只要多加一
條寬版圍巾配件就能達成。其餘的，就交給髮型吧。

TIPS

前額的誇張瀏海絕對是關鍵點。在造型時，務必要
將這一區髮量做出蓬鬆度，才能展現出瀟灑不羈的
搖滾氣味。

1 用尖尾梳分出全部3/4髮量到左側，往前梳。

2 左側頭髮整個梳乾淨，前後各插入一個排齒髮夾。

3 將左側尾端的頭髮往右側撥去，尾端用黑色毛夾固定。

4 右耳以下的髮尾也往後下方撥，尾端用黑色毛夾固定。

5 噴定型液後，用手抓出前額頭髮的高度。

服裝穿搭 TIPS

以隨性的方式穿戴圍巾，展現都會個性風格的一面，以格紋的絲襪稍微在全身面服裝中做一些點綴的效果，毛毛的靴子也讓整體加上了一些話題。

鄰家女孩風

忠於這款服裝訴求的重點；展現出女孩端莊氣質。因此在髮型設計上，也要力求線條柔美整齊。

TIPS

後方頭髮往內摺的弧度愈好看，髮型愈是成功。而前額劉海的訴求則是整齊，記得用造型液使其固定不散開喔。

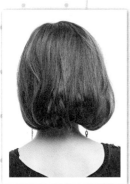

start

1 戴上髮帶。

2 將全頭髮量用黑色髮圈紮起來。

3 一手抓住髮尾，一手伸入髮圈上半部的頭髮當中，小心地將頭髮拉蓬鬆。

4 髮圈下半部貼近頭皮的頭髮，也要用手抓蓬鬆。

5 拉出原有的黑色髮圈，將髮尾的部分由外而內，收進頭髮當中，用黑色毛夾固定。

服裝穿搭 TIPS
及膝高腰設計的洋裝最能展現氣質的一面，因此，將頭髮變短更能將身材的好比例顯現出來，身為上班族的妳，也可以嘗試不同的一面唷！

日系可愛風

只要加上毛帽、毛短背心，將淑女鞋換成長筒靴，立刻就讓這件簡單洋裝有了新的生命。當然，在髮型上稍微動一點手腳，簡單做出幾個自然的圓形髮節，妳就宛如日系雜誌裡的超迷人麻豆啦！

TIPS

重點就在每一個髮節都要盡可能是圓的，因此抓出髮節之後，抓蓬修飾的功夫是很重要的。

帽子TIPS

我覺得帽子很重要，戴帽子不能只是要遮掩什麼，也要搭配髮型，如果帽子的重點在右邊，那頭髮就要放在左邊，這樣才能平衡唷！

start

1 將馬尾綁在左下低於耳朵下方的位置。

2 抓出其中一小股髮量，繞著髮圈固定的地方，最後用黑色毛夾固定在髮圈的位置。

3 將馬尾撕開抓蓬。

4 抓約1/3段，用黑色髮圈綁住。

5 將第一個髮圈以下的髮量再抓蓬。

6 抓出和第二個1/3段髮量，用第二個黑色髮圈固定住。

7 再將第二個髮圈抓蓬。

服裝穿搭 TIPS

以民族風配件來帶出日系可愛風格的穿搭，利用毛的元素來點綴效果，因此，髮型也用可愛一球一球的造型，呈現女孩甜美的一面，是出遊、約會最甜美的裝扮了！

8 戴上粉紅豹紋帽，造型就完成囉。

摩登個性風

簡單的洋裝,加上長版套衫和皮帶,換上中筒靴和長襪,是不是很有學院風格呢?在髮型上,前額兩個層次的別致劉海,也強調出女學生古靈精怪的想法喔。

TIPS

大膽前衛的前額設計,就是展現活潑不受拘束的宣言。我們拉出頭頂這一區髮所做出來的前額髮髻,務求立體感,讓妳走在人群中,想不被注意到都很難。

start

1 避開瀏海的部分，抓出半頭髮量，用黑色髮圈紮起來。

2 剩餘的髮量也用黑色髮圈紮起來。

3 將馬尾向前扭轉。

4 用螺旋夾固定髮尾的方向。

5 用黑色毛夾將髮鬢邊緣收好。

6 抓起下方這一束髮，以順時針方向像上扭轉。

7 最後將這股扭轉的髮束，落在右上方，用黑色毛夾固定住。

8 最後戴上貼頭的髮飾即可。

服裝穿搭 **TIPS**

在有設計感的針織外套上繫上一條細的皮帶，不僅有時尚感還讓身材曲線更明顯。中筒靴搭了一雙長的針織襪也帶點個性的呈現，稍微重一點的眼妝在出席一些時尚的場合，也是不錯的造型唷！

長禮服篇
維納斯女神風

想要展現女神的風采，維持長髮的飄逸感是非常重要的。但是，長髮通常容易顯得凌亂沒型，要如何營造出女神的精神呢？就讓Judy老師來傳授一下其中祕訣。

TIPS

髮辮就是重點。髮辮造型有那麼多種，這裡選擇的髮辮就是從前額開始分成兩股編起的貼著頭皮編髮髮辮。它能夠順著頭型的弧度，延伸到後方，如此輕易地將兩側亂髮收乾淨，同時又不破壞長髮的飄逸感。

1 將整頭髮量分成6股，分別用造型夾固定住。

2 一個一個取下造型夾，用電熱棒做出浪漫的捲度。

3 做好全部頭髮的捲度之後，將前額髮量分成兩區，抓起一小股髮量。

4 從這股頭髮開始編髮，用貼著頭皮的方式編出5節髮辮。

5 從第6節髮辮開始，就可以轉成普通三股編髮的方式，逐漸將這股髮辮收尾。

6 為了避免髮辮太死板，可以在尾端稍微抓鬆一點。

7 編好髮辮之後，後方看起來就是這個樣子。

8 另一邊也用同樣的方式，編出相同髮辮。

9 想要展現出更隆重的樣子，就可以使用淺色系大朵花髮飾夾在頭髮的一邊。如此一來，是不是很有女神的氣勢呢？

時尚個性風

同樣的一套長襬禮服，只要加上有潮流感的黑色飾品，馬上就跳脫出如《VOGUE》雜誌般的氣息。

1 將頭頂部分這一區的髮量整個抓起來，旋轉後用鶴嘴夾固定住。

2 從左右抓出頭頂下面、耳朵以上這一區髮量，用黑色髮圈綁好。

3 抓出這股馬尾根部一小圈，接著用髮尾的部分，以逆針方向繞著這一圈頭髮。

4 繞完之後，最後用黑色毛夾將這個髮髻固定好。

5 扣上具有蓬鬆效果的假髮片。

6 將假髮片和真髮的部分，由頭頂往頭皮的方向逆刮，做出蓬鬆的效果。

7 將下方頭髮分成四股，分別用電熱棒做出捲度。

8 從右下方再抓出一小股髮量，由右下而上逆時針捲起來，最後落在髮髻的左下方，用黑色毛夾固定住。

9 從左下方也抓出一小股髮量，由左下而右上順時針捲起來，最後落在髮際的右下方，用黑色小髮夾固定住。（這股頭髮要從步驟8之中，那股頭髮髮尾下方繞上去，才能把剛才那股頭髮的髮尾撐起來。）

10 取下頭頂的造型夾，將這股髮量分成上、下兩部分，下面這一部分自然落在髮髻上方。

11 在上下兩區的頭髮裡面，放置頭髮增高器。

12 將最上方的頭髮也覆蓋下來，分成左右兩小股，覆蓋住髮髻，用黑色毛夾固定。

13 取下前額劉海的髮捲。

14 整理好劉海之後，戴上黑色緞面大蝴蝶結髮箍。

15 從後方看過去，充滿巧思的髮型看起來卻非常地自然。

優雅貴婦風

穿著長襬禮服出席浪漫的燭光晚餐,搭配多層次珍珠項鍊,整個貴氣就不在話下了。讓整個髮型也如同珍珠一般呈現完美的圓潤感,使得這款禮服顯得貴氣傲人。

TIPS

既然要展現貴氣,那麼頭髮梳得一絲不苟是很重要的。梳得一絲不苟又不能太死板老氣,就是這個造型的精神所在。我們運用了頭髮本身編出來的髮辮穩住了整個髮髻,同時加上一點整髮小道具,讓妳成為任何場合中最引人注目的焦點。

1 將全部髮量分為頭頂、後方以及左右兩側，共4股，分別用鶴嘴夾固定住。

2 取下後方髮量的造型夾，用三股編的方式編髮。

3 做好整個髮辮之後，將左手放置在髮辮根部下方，作為髮辮由外往內繞的支撐點。

4 將包頭假髮的彈簧夾，穿過髮辮圈中心夾住。加包頭的分量是造型重點之一。貴婦髮型絕對不能太單薄，髮量看起來稀少。

5 戴上假髮，裡面有一個網子，再把髮辮包在裡面。

6 在髮包上位置放上增高器，讓頭的弧度更好。

7 將頭頂部分的髮量放下來，覆蓋住頭髮增高器，編出兩節三股辮之後，用黑色小髮夾慢慢將髮尾部分覆蓋住包頭收尾。

8 取下前額劉海的大髮捲。將劉海部分的整個收到左邊。

9 取下左側髮量的鶴嘴夾，將這股頭髮做簡單的三股辮編髮。

10 右邊的這一股髮量也一樣，編出三股髮辮。

11 抓起右邊這一股髮辮，繞過髮髻，最後用黑色小夾子收尾。

12 抓起左邊這一股髮辮，繞過髮髻，最後用黑色毛夾收尾。

13 在右耳下方，加上金色串珠髮飾畫龍點睛，固定在髮辮兩側。

愛美無罪，心機有理！

心機造型全方位

愛美是女人的天性，不分年齡都要對抗自己的問題！

所以，我要來教大家如何讓自己更小臉、變得更年輕10歲、姊姊妹妹變身大改造

的三個小主題來做改變，只要掌握這些訣竅，讓妳看起來永保年輕絕對沒問題！

不過，要偷偷告訴大家一個重點，所謂心機就是要施展於無形，

千萬不要太高調裝年輕，那可是會讓大家覺得妳太過刻意唷！OK！

美麗保養課程開始！GO！

小臉美人的心機術

有時候我們錯誤的嘴型及咀嚼是會造成骨骼位置移位、講話表情多也會讓肌肉脂肪不正確堆積；又或者是單純因為年紀大肌肉鬆弛而下垂，以上講的種種原因，都是會造成臉部看起來大且肉的致命原因！

所以，想要把討人厭的大餅臉變成漂亮的瓜子臉，就要多利用手技來按摩，把骨骼、肌肉提拉回正確位置，就像做瑜伽抬腿來改善因地心引力而下垂的臀部一樣，將這些不正確的肌肉統統歸回原位。只要臉部看起來變小，就會給人感覺年輕，所以，勤於按摩保養才是保持年輕的基本王道。

指關節就像刮痧棒的功能，能在每個穴位上施加壓力，圓滑不傷皮膚。

利用手掌的掌緣、虎口、大拇指指尖這些不同部位的手技按摩法來按壓，就能夠有很好的消水腫、消除贅肉功效。

TIPS.1
掌緣按壓技

> 新一代
> 蘭鑽精萃再造霜
> 逆轉老化細胞周期，
> 活化細胞，重新展現
> 非凡生命力。

　　臉大有時候是因為水分堆積，或者平常吃太鹹、太辣、睡眠不足、血液循環差而造成脂肪堆積浮腫，因此，可以利用掌緣按摩來消水氣、消水腫。

手技按壓法→ 用手掌的掌緣先按住肌膚再往上整個提拉。這個動作是深層的按摩，不是只有在肌膚表面而已，按壓的時候會有痠痠的感覺，非常舒服。搭配保養品一起使用才能夠有很好的小臉緊實效果，否則可能會對皮膚造成傷害。

 按壓的時候力道不能太大，否則牽引力太大反而會造成肌肉鬆弛，得到反效果喔！

TIPS.2
虎口按壓技

　　很多人年輕的時候有嬰兒肥，但是年紀大了之後脂肪都往下垂，造成下顎邊緣線都不見了，或者有雙下巴、脖紋產生，這些都是讓臉部看起來大、年紀看起來就顯老的原因。因此，利用虎口按壓技來提拉，雕塑出臉部FACE LINE的線條，就會讓臉部看起來因為立體而顯得年輕。

手技按壓法→ 先用虎口按住臉部下顎肌膚，再往上提拉。按壓時會有痠痠的感覺，一樣搭配保養品使用才能夠有很好的小臉緊實效果。

 虎口不夠緊密貼合臉部，就達不到效果喔！

眼部浮腫

TIPS.3
指關節按壓技

現代人大多是電腦一族，眼睛從早開始就盯著螢幕或者長時間戴隱形眼鏡、變色片，使得眼球缺水乾澀，造成眼壓高、容易皺眉的現象。當眼睛疲勞時，看起來就會變小，給人精神不好出現老態的形象。因此，利用指尖指腹來按摩，不但能消除眼睛浮腫和疲勞，也有助於幫助眼睛很快恢復精神，以及讓臉部線條看來更有立體感。

手技按壓法→ 用大拇指指尖按壓眉骨下方，從眉骨慢慢往眉尾輕壓提拉，會帶點痠感。這個動作會消除浮腫，讓眼部看起來立體，同時也會有小臉效果。早上起來只要花30秒時間就可以立刻消除浮腫，也會讓上妝後的妝感更立體喔！

黑眼圈及眼袋

血液循環不良或者疲累就容易出現黑眼圈及眼袋，這時候，利用指腹按壓拍打也有很好的改善效果。而當眼部四周肌肉太疲累時，就容易給人精神不濟的蒼老感，這時候也可以利用按摩來快速恢復因眼球肌肉壓力過大而產生的臥蠶蠶。

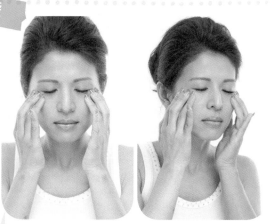

手技按壓法→ 白天臉部有妝時，可以隔著面紙在黑眼圈的地方用四隻手指的指腹輕拍100下。拍打的時候眼球往上，很快的就能消除眼袋，恢復精神給人好氣色。晚上睡覺前，可以在薄薄的擦上眼霜再拍100下，讓眼睛充分得到滋潤之外，也能夠有效的消除細紋。另外，也可以握拳面向自己，用四隻手指的中間關節輕輕地按壓黑眼圈及臉頰處，有消腫及小臉的功效。

Judy老師說 很多人在保養眼周肌膚時，經常會買昂貴的眼霜來使用，並且為了怕浪費，總是將它塗滿眼睛周圍；使用一週後雖然眼睛周圍肌膚變滋潤了，但卻也長出了小肉芽……這是因為眼霜沒辦法徹底吸收，所以才會造成眼周毛細孔阻塞、長粉刺，因此，在擦眼周保養品時，一定要用乾淨的指腹拍打才能深層導入，不讓多餘的保養品殘留，這一點可是非常重要的喔！

植村秀黑萃緊顏抗皺眼唇霜
有效達到緊緻、抗皺、抗老，針對換季時眼周較敏感的肌膚。

法令紋

以前法令紋總給人威嚴權威的形象，但是20幾歲就開始出現惱人的法令紋，讓愛美的女生非常苦惱。會出現法令紋是為愛笑所導致，也就是俗稱的表情紋。當肌肉不當囤積或某個程度肌理斷裂時，就會形成清楚的摺痕，變成了法令紋。因此，必須靠按摩來將囤積的肌肉推回原來的位置，讓摺痕線不這麼明顯。

手技按壓法→ 用兩手大拇指指腹慢慢地往眼睛方向將肌肉輕輕提拉。

植村秀黑萃緊顏修護乳液
能促進肌膚微循環代謝，重現年輕的好膚質（白天使用）。

Judy老師說 我自己在晚上睡覺前，會利用一點眼霜塗抹在法令紋上慢慢輕推按摩，補給臉部的膠原蛋白，淡化法令紋痕跡，才不會讓無可避免的微笑表情造成永久留存的法令紋。

植村秀黑萃緊顏抗皺眼霜
提升肌膚的防禦力，恢復豐盈有彈性（夜晚使用）。

立體感的鼻翼

有些臉大的人是因為五官的輪廓線不明顯所造成，因此，保持五官的立體感是很重要的一件事。只要利用按摩手技來讓鼻子線條變立體，臉部視覺上看起來就會變小。

手技按壓法→ 用兩手彎曲的食指關節頂住鼻翼處，往上提拉。另外，用反手的兩隻大拇指沿著鼻子輕輕推壓，讓鼻子更立體。

除了基本保養之外，利用彩妝也可以畫出小臉感覺，只要掌握住基本彩妝重點，妳也可以像日本小臉天后安室奈美惠一樣擁有巴掌臉！

TIPS.1 眼妝

想要讓臉看起來小，眼睛的比例就要變大。而眼妝的彩妝重點應該要放在睫毛及下眼影上，所以千萬不要忘了，利用下眼影的彩妝來讓眼睛範圍變大。

TIPS.2 眉毛

眉毛過細一樣會讓臉看起來變大，所以彩妝部分要增加眉型分量、加粗面積，但用色不能過重，否則會給人看起來兇兇的感覺。

TIPS.3 唇型

唇型同樣要加大範圍才能讓臉看起來變小。因此，可以增加唇的範圍，在中間的唇峰處上下勾勒出線條，讓唇型看起來豐盈。記得不要勾勒出整個完整的唇型，否則很容易給人血盆大口的印象。

TIPS.4 重點部位打HIGHLIGHT

彩妝要有立體感是非常重要的一件事，因此可以在幾個重點部位如鼻翼、蘋果笑肌（三角地帶）、下巴、鼻頭處HIGHLIGHT，可以讓彩妝看來更立體。

TIPS.5 修容

彩妝最後的步驟就是修容。修容跟打腮紅方式不同，不需要強調臉頰處的彩妝，而是從臉頰往耳朵橫向快速大面積修飾，增加臉部立體感。

髮型篇

輕盈的線條與豐盈髮量是可以讓臉變小的訣竅。下次再換髮型之前,不妨就跟設計師討論一下,換個讓妳看起來年輕一些的造型吧!

TIPS.1 用燙髮營造輕盈線條

很多女生總是嫌麻煩,因此一直以來都喜歡留好整理的直髮就好。但是,直髮若是沒有修剪出適當的型,就容易變得呆板厚重,給人老氣的感覺。其實可以利用燙髮來營造出輕盈的線條,當然,簡單的整理也是必要的,只要利用造型品就可以抓出好看的造型,一掃呆板無趣的沉悶印象。

TIPS.2 用劉海來修飾臉型

很多人看起來臉大的原因,是因為將全部的頭髮都梳到後頭綁了最簡單的馬尾,因此視覺焦點上就全部落在臉上,給人大餅臉的感覺。因此,想要改善這一點的話,不妨利用劉海來調整視覺比例,能夠有效修飾臉型,顯現年輕感。

TIPS.3 用造型品營造頭髮蓬鬆感

熟女們都有掉髮的危機,這會讓髮型看起來扁塌,進而把自己的老態暴露出來。因此,為了改善這樣的印象,可以利用一些吹整技巧和蓬鬆的小道具將頭髮吹得蓬鬆一點,再搭配適當造型品的抓整,才能夠一掃頭髮扁塌的無精打采感。

蓬蓬粉
輕盈不沾膩,具有固定力超持久,油性髮質專用的美髮聖品。
TIPS 可直接適量倒在頭髮上,或可以先倒在手上,再像抹髮蠟一樣抹在髮根,但不觸碰到頭皮。讓頭髮從髮根就能蓬鬆!

LESSON 2
年輕 10 歲心機術

保養篇

買了好多時下化妝品、流行的顏色，但妳還是會問，為什麼看起來還是沒什麼改變？問題絕對不是化妝品的關係，而是妳化妝的技術還跟幾年前一樣一成不變的畫法，這樣當然不會有改變囉！ 隨者時間的轉動，任何事都要跟上腳步，就連彩妝也是一樣的！每一個部分其實只需要一點點的改變，像是眉毛可以修的有點角度，或用染眉膏讓眉毛顏色看起來不那麼重……等等，在這個單元要教大家看起比原本的年紀小於10歲的方法唷！

嬌蘭極地水合高滲透彈力眼膜
清新紓壓，立即保濕，讓眼睛周圍變得明亮有光澤，疲態一掃而空。

嬌蘭緊緻拉提眼霜
給眼睛補充水份，能有效撫平細紋。

蘭鑽精萃再造面膜乳
只要短短十分鐘，就能像剛做完沙龍級療程般充滿活力，容光煥發。

嬌蘭極地水合彈力化妝水
清爽不油膩，能瞬間補充細胞間水分。

嬌蘭皇家蜂王乳
修復肌膚皺紋，重拾緊緻肌膚的關鍵。

TIPS.2 眼部補水

不要讓眼部的動態紋成為固定的紋路，我覺得眼睛是最需要補給水分，當我們有表情的時候，通常都是眼睛較多表情，因此需要眼霜來滋潤眼睛，固定一個禮拜就要敷眼膜（膠），讓臥蠶補水並且也消除眼袋。

TIPS.1 整體抗老

想要年輕，保養就不能省略，要針對肌膚給予適當的保護，過與不及都是不好的，昂貴的保養品對你來説也不一定是最好的，所以針對你的膚質找到適合的保養品才是最重要的，像我很喜歡用嬌蘭的原因是它裡面的蘭花成分能達到抗老的功效，這也是我所要追求的。我也建議，在擦完保養品之後，可以用面紙將多餘的油分吸掉，讓肌膚零負擔。

TIPS.3 防曬

出門前，在所有保養結束後，記得一定要擦上防曬的隔離乳，因為造成老化的原因紫外線是其中之一，就算你很努力的美白保養三天，但如果沒有做好防曬，只要15分鐘，那之前三天的美白就都前功盡棄了！所以，防曬也是讓你更能年輕的方法之一唷！

嬌蘭極地水合多元防禦乳
除了保濕、抗老外，加強對外界環境的防禦，常保肌膚30小時水嫩彈力唷！

彩妝篇

想讓自己看起來年輕10歲，在彩妝上也有一些顛覆大家印象的小技巧，只要避開這些錯誤的NG方法，妳就能夠畫出年輕感的自然彩妝囉！

TIPS.1 粉底

有些人覺得要年輕10歲，就會把底妝打得很白或很厚，但這是非常錯誤的觀念喔！因為臉部太白跟脖子會有色差，太刻意反而會讓人覺得變老才需要裝年輕。

所以，在上粉底時一定要非常薄透、乾淨；粉底選擇跟膚色相近的顏色，才能夠打出自然底妝。另外，妝也不能太厚，因為年紀大紋路會比較明顯，一旦畫上厚妝，眼睛四周細紋、法令紋反而會更明顯，暴露老態缺點。保濕性強的粉底是最佳選擇。最後，在鼻子及眼睛下方打上HIGHLIGHT，讓人看起來更有精神。

Judy老師說●以前我化妝的時候會整臉撲蜜粉，因為紋路不明顯、皮膚彈性好，所以上妝時不會有任何忌諱。但現在年紀稍長之後，採取的是分區域、避開眼四周、法令紋重點式撲蜜粉，這樣一來才不會因為撲了蜜粉而讓皮膚乾燥缺水，產生更深的紋路。

TIPS.2 眼妝

輕熟女的眼妝不需要強調像年輕美眉般的電眼，但還是要給人炯炯有神的感覺，因此，就要把重點放在睫毛彩妝上。就算妳不畫眼線，但出門也一定要夾睫毛、刷睫毛，展現明亮的迷人魅力唷！

TIPS.3 唇妝

唇線對輕熟女來說非常重要，尤其是突顯嘴角弧線，把下垂的嘴角線畫出上揚的感覺。另外，唇型要畫出立體感，但顏色不需要太紅。除了唇膏之外，也可以利用唇蜜呈現亮澤感。

Judy老師說●想要有年輕感的水嫩雙唇就不能有唇紋出現！因此要固定做唇部去角質，順便消除沉澱的唇色。晚上睡覺時也可以擦藥用護唇膏來修復缺水的雙唇。

個性

柔眉

自然

甜美

TIPS.4　眉妝

眉毛一定要畫出時代感。很多人看起來老，是因為她不修眉、並且秉持著十年如一日的畫眉法。每一年流行的眉型、眉長跟眉色都不一樣，所以如果妳沒有順著流行改變，很容易就讓人覺得「過季」。例如今年流行焦糖色、亞麻色系的眉筆，其實只要多買一支不同顏色的眉筆或眉刷，把原來的黑色眉改變一下，整體的妝感看起來就很不一樣。

在眉型方面的修型也很重要。眉毛有細眉、粗眉、短眉、角眉（立體高角）、自然眉等形狀，同樣也要隨著每年流行的眉型來做修整會比較好。如果自己不會修眉的話，也可以請專業修眉師幫妳修掉雜毛，眉宇之間乾淨，看起來也會比較年輕。

雖然眉毛是五官當中不起眼的地方，但卻是最好調整時代感的。而且它非常即時又方便，不用動刀整型就能夠看出美麗效果，所以愛美、想變年輕的人千萬不能忽略這個小重點。

Judy老師說：有些人會問我：「為什麼每年都買最新流行的彩妝品，但畫出來的妝看起來還是沒有變年輕呢？」我都會回答她們：「因為妳買很新的產品，但是畫法永遠一樣。」所以，請大家一定要跟上流行畫出適合的眉型，千萬不要萬年不變，完全「眉」變化才好喔！

TIPS.5　腮紅

無法馬上用保養達到年輕效果時，就可以利用腮紅來修飾，補強卸妝後看來蒼白或蠟黃的氣色。同時，腮紅也有很好的修飾臉型效果。臉型長的人腮紅要畫平形；在笑肌擦圓形就會讓人看來年輕；擦粉紅色就會給人可愛的感覺。

腮紅會隨著臉部表情變化而被注意，因此，在笑肌最高點的地方要打亮光（HIGHLIGHT），這樣笑起來的時候就會有光澤感，給人青春年輕的氣息。

一個人的髮型，是決定她看起來年輕還是老氣的最大關鍵。很多人年紀愈大就愈怕麻煩，所以髮型也就愈來愈簡單，不是綁起馬尾就是剪清純的妹妹頭，變化較少，容易讓人失去新鮮感。而且，隨著年紀增長，膠原蛋白流失愈多，髮質也會變得比較粗硬沒有光澤感，同時有白髮、掉髮、扁塌的狀況，這些都是會讓人看起來變老的原因。因此，想要年輕10歲就要從以下這些方法來解決。

髮型篇

Judy老師說 熟齡女人一定要有一個很了解自己的髮型師，才能夠幫助妳找出適合臉型、適合髮色及好整理的髮型，而不只是為了展現他的技術而做造型。崇尚明星設計師不是不好，但最流行的東西未必適合妳，假如回家不會整理，加上髮型跟彩妝又不能配合的話，整體協調感就會更差，所以，好的髮型設計師也是改變造型很重要的其中一個環節喔！

TIPS.1 用染髮來遮蓋白髮

隨著年紀增長、煩惱的事情愈來愈多，不免就會長出惱人白髮。這時候，如果放任不管或是想用綁馬尾讓它眼不見為淨，久而久之，造型就會變得愈來愈邋遢，給人的感覺自然就年輕不起來。針對白髮問題，可以利用染髮來有效解決，不管是整頭染色或是採用挑染方式，都可以改善白髮問題，重新塑型，讓妳煥然一新，變得年輕。

花王 Blaune 及Kracie SIMPRO 是我自己從日本帶回來的，這兩個染髮劑能修補髮根白髮，也能維持光澤感，顏色至少可以維持3周，它們的好處就是不一次就要使用完，沒有使用完的可以放在陰涼處保存！

TIPS.2 強調光澤感

想要讓人看起來變年輕，一定要讓頭髮看起來有光澤感。針對有白髮問題的人，可以利用染髮或挑染的方式來解決；另外，有些人雖然髮質看來不錯也有光澤，但卻會黑得沒層次感，這時候同樣可以變髮色、再加上燙髮來改變頭髮線條，讓它呈現輕盈的時尚感，看起來自然會感覺年輕一些。

TIPS.3 強調頭髮的分量

熟女們最煩惱的就是出現雙下巴、魚尾紋、法令紋這些困擾，而這些都可以用髮型來掩飾；例如劉海可以掩飾抬頭紋、川字紋，兩邊的鬢角或者頭髮則可以掩飾雙下巴及脖紋。不過，劉海的地方要呈現出自然的空氣感，不需要留厚重的妹妹頭劉海，否則就會給人欲蓋彌彰的感覺，反而不自然喔！

LESSION 3
姊姊妹妹搞心機

這個單元是情商我的姊姊跟妹妹來客串示範當model，帶大家瞧瞧她們改變造型前後的模樣，也請大家一起來評比造型前後有多麼不同囉！

改造對象：林葉真

姊姊的職業是學校老師，因此平常在穿著打扮上偏向保守端莊。不過，從小學六年級開始就有白髮問題的她，平常多是紮起馬尾來掩蓋白髮，時間一久，也就懶得改變，因此數十年來多是以馬尾造型出門。

Judy老師造型建議

針對姊姊的重度白髮問題，我想要利用染加燙的方式來作改變，除了能夠保有原來的端莊之外，再多點流行感。

原本的直髮線條，利用熱塑燙的方式來調整髮型線條，製造輕盈但豐厚的髮型質感，大捲度也能夠讓白髮不易被看見。而接近白髮的暖色系染劑，則是有視覺調整的效果，白髮再長出來時也不會太過明顯，變成另一個色差的困擾。

AFTER

改造心得　我本身是一個比較保守的人，以前都會想留簡單好整理的髮型就好，所以從來也沒想過要燙髮，覺得很麻煩。不過經過這次改變造型之後，發現鬆髮的樣子還不錯，雖然還是有點不習慣（笑），但旁邊的人都說變得較年輕有精神，聽到這樣的讚美，也讓我多了一點信心。

改造對象：林葉青

妹妹的職業是科技公司的董事長秘書。長得很像洋娃娃的她，從小時候就非常甜美可愛，不過長大後因為工作的關係必須經常穿著套裝，所以外表上的打扮多少受到些限制，漸漸地也就懶得打扮，同樣是一個造型就維持好多年。

BEFORE

Judy老師造型建議

　　妹妹從小就是個愛漂亮的女生，只是礙於工作關係後來變得比較保守了，所以我想利用劉海、變髮色、燙鬈髮來突顯她甜美的本質，找回她以往可愛甜美的感覺。

　　妹妹其實帶點日系感，所以我想用亞麻色來當作她變髮的主色。不過她的髮色較深，所以在造型前必須先退掉紅色，再上相當有流行感的亞麻色，顏色才能完全附著在頭髮色，完全定色。再加上微捲的造型，整體看來就很有洋娃娃的FU，找回適合她的甜美日系風造型。

AFTER

改造心得　　這次真的很高興能有機會參與姊姊的書籍製作，也讓我能夠體驗改變造型的心情。雖然一開始會緊張，擔心造型後的自己到底看起來會如何？不過還好改變後的結果相當令我滿意，亞麻髮色我自己很喜歡，同事朋友也說不錯看，所以，這次的造型大變身讓我真的非常開心！

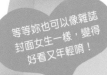

等等妳也可以像雜誌封面女生一樣，變得好看又年輕唷！

和姊姊「麻豆」努力溝通造型中……

與設計師Ranny認真討論髮色。

等等會變成什麼樣子呢？好期待呀……

要變年輕的第一步就是先從剪出好看髮型開始吧！

嘿嘿～請大家期待我幫姊姊改造後的傑作吧！

做完初步的剪染燙造型後，吹整也是漂亮造型很重要的一環。愛漂亮的女生們絕對要學起來，不要偷懶喔！

造型師檔案

Ranny（設計師／大安店）
造型藝人：可米小子、張清芳…等。

等待的過程是辛苦的，但等待的美麗結果是絕對值得的！

快要大功告成囉！再幫麻豆們上漂亮的彩妝修飾一下，就是令人驚豔的全新造型！

113

髮型教室Q&A

這次參與製作的資深造型師Ranny，有多年的髮型工作經驗，也曾參與多位藝人造型設計。關於許多輕熟女們最在意的造型提問，Ranny有一些建議方案，快來聽聽他怎麼說吧！

Q 有輕度白髮跟重度白髮的人該怎麼辦？

有中輕度白髮的可以染淺一點顏色的髮色，白髮就不容易被看見。假如你染深色系的髮色反而會突顯白髮問題，所以建議是整頭染淺，用7度色左右染劑即可。

至於重度白髮的人，可以用燙髮的方式讓頭髮線條捲度做出豐厚感，染劑的顏色不要太深，選擇接近原本髮色、用挑染方式來處理，這麼一來白髮長出來時才不會色差明顯，一眼就可以看得到。

對於一個月左右就需要染髮的人來說，現在一般沙龍有推出不含阿摩尼亞成分的染膏；它的主要成分是油脂，不會被人體吸收、不傷頭皮、不刺激，是一個很不錯的選項。一般含有雙氧成分的阿摩尼亞染膏會造成頭皮過敏，因為是靠外力來卸色或上色，刺激性較強；而油脂染髮是把顏色包覆在裡面，不刺激也不容易褪掉，不過唯一缺點就是顏色選擇較少，但是一般的流行色、基本色都有，對染髮族來説是一大福音。

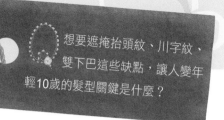

Q 想要遮掩抬頭紋、川字紋、雙下巴這些缺點，讓人變年輕10歲的髮型關鍵是什麼？

A 我覺得劉海跟頭髮兩邊的鬢角髮線很重要。不管是長髮或短髮，鬢角髮線都要接近下巴的位置才會有修飾臉型的效果。至於額頭的紋路則建議靠劉海來修飾。劉海的造型可以用熱塑燙來燙出微彎的彎度，比較自然，對熟女來說不會給人刻意裝年輕可愛的感覺。

Q 為什麼剪髮時要換髮線呢？

A 因為毛髮會自動記憶，如果一條線分太久的話會慢慢定型，讓髮線看來明顯，所以要改變毛流，換個方向梳整。做造型時，先燙再分邊就能完整定型，另外，還有一個用意是燙彎髮根髮型看起來較蓬鬆，造型上也會顯得比較年輕。

Q 給想要變年輕的熟女們一句話建議？

A 不要暴露白髮、劉海要經常變動。很多上了年紀的人覺得換髮型很麻煩，但是，在好看跟方便整理之間還是必須要取捨做選擇，才能夠擁有美麗的權利。劉海造型該換就要換，不要捨不得。

另外，要懂得學習自己每天花5~10分鐘DIY做造型，不能都依賴髮型師。這是很多人都會出現的問題：髮型只有在沙龍時才好看，回家起床後就完全變形了！這樣會有點可惜。美麗應該是天天都要具備的，所以快學習用電棒捲、造型品來塑造出好看的造型線條吧！

協力沙龍

whiple house for hair

結合white與sample兩個單字的whiple，如同名稱一樣，強調的就是潔白簡單的時尚感。沙龍採複合式經營，結合家具、café、服裝配件等形式，讓店內充滿了濃厚的生活藝術感與時尚感。
現場座位採大量不過度裝飾物品，以帶有環保的原生味道的大量木作空間，傳達自然不造作的風格。 店內提供多樣的精巧手縫的帽子，手工髮飾品項鍊、包包更為造型加分。

▶ 大安店：02-2772-3373
▶ 天母店：02-2877-2721
www.whiplehouseforhair.com.tw

達人教妳10分鐘

百變造型技巧 講座教室

通通OK！

剪髮╳燙髮
染髮╳造型╳保養

就可以學會的
百變造型技巧

在做出美麗的造型之前，妳一定要先了解自己的頭髮特性，才能剪出適合自己的髮型，並且充分利用自己的髮性來做出好看造型。不過，我知道很多朋友有關於三千煩惱絲的髮型問題，所以在這個單元中，我將帶領各位從最基本的頭皮養護開始，進階到各種頭髮煩惱的解決方法、造型品、造型工具的運用，教大家學會如何照顧自己的秀髮。如此一來，想要擁有好看時尚的髮型絕對沒問題，讓妳從「頭」開始

SHINE！
SHINE！

頭皮養護教室

讓妳再生健康柔亮髮絲

擁有健康的頭皮才能夠擁有閃亮動人的健康髮絲，尤其頭皮容易出油、有頭皮屑、容易掉髮的人更是不能輕忽頭皮問題。這個單元中，我們將針對頭皮的養護，教大家保養方式，藉由按摩釋放壓力，才能夠還給秀髮健康光澤唷！

◉ 按摩提拉的效用

藉由舒緩的按摩手法，在頭部與頸部的淋巴與肌肉位置規律且使用不同力度的按摩，能夠幫助頭皮新陳代謝及提升含氧量，搭配適當的髮絲護理產品，能夠將養分灌入髮根，調節頭皮的皮脂分泌，深層活化頭皮細胞。

TIPS 利用一些產品來輔助頭皮按摩，在按摩的過程刺激穴道，讓效果事半功倍！

◉ 按摩方式

1 掌根提壓

1. 橫向：將雙手掌根放在耳上，定點以掌根向內提壓3次。
2. 直向：雙手掌根分別置於前額與後枕骨點，以掌根向定點提壓3次。

2 鬆動頭皮

1. 雙手5指平貼按住頭皮，以指腹及手掌的力道，由外往內推壓3次。
2. 自前額→頭部兩角→耳後三區按壓，重複做3次。

3 提拉耳際

1. 雙手四指併攏，由耳前→太陽穴上方→前額角定點，
   每點向內揉壓3圈，以打圈方式提拉頭皮一次。
2. 四指併攏，在頭中線→頭頂百會穴定點繞圈3次，重
   複3遍。最後以大拇指定點於百會穴揉按5次。

TIPS

百會穴對於長期憂鬱、情
緒不佳、頭痛、失眠、胸
悶有很好的調理效果。

4 髮根提拉

1. 以極輕柔的手勢從髮根夾住髮片，由後腦往前輕輕提拉。
2. 再由前往後分成四區定點輕輕提拉，每個定點拉3次。

5 夾抱繞圈

1. 雙手由內向外，掌根固定在後枕骨上方，手指停在枕骨上
   方與耳上兩個定點，以掌根向內揉按3圈。
2. 由耳前髮際線向內繞圈至髮際前額中心點，重複做3次，
   最後再順勢將雙手由前額往後腦中線按摩。

善用造型品、技巧
來解決惱人的頭髮困擾！

不管妳是哪一種髮質的人，在這個單元中都能了解如何找到適合自己的髮型；另外，我推薦的髮型造型品，讓妳再也不用擔心不知如何從琳瑯滿目的開架式商品中，無從挑選起最適合自己髮質使用的產品囉！

打敗粗硬自然捲

大部分有自然捲的人都不太能接受自然捲髮質，覺得頭髮毛燥很難整理。其實，只要能夠善加利用自然捲的特性，反而能夠做出很好看的造型呢！

台灣女生多以離子燙來解決自然捲的問題，不過一旦離子燙後就會陷入一個沒完沒了的過程，必須不停補燙才能保持平衡；再加上重新長出來的髮根會開始變捲，而下半部頭髮還是處於直順的狀況，比例上其實很不自然、也不好看，所以我並不建議大家用這個方式來對付自己的自然捲頭髮，而是可以利用剪髮、吹整、造型品、燙髮等方式來做造型。

拯救方式

剪髮

自然捲髮質的人最嚮往一頭能夠輕柔飄逸的頭髮，因此，減少頭髮的重量是最基本的重點。尤其，有時候利用自然捲的蓬度來做造型，效果反而會比燙髮做造型來得自然好看。

·打薄

利用打薄來做毛量調整。自然捲多的人將頭髮裡層打薄，減少髮量，會比較好做造型。

·打層次

在頭髮外層剪出層次來呈現輕盈感，髮質看起來也較柔順不雜亂。

整髮

市面上已有販售離子夾梳整器，只要每天早上梳頭髮時把外面夾直，就可以讓頭髮變亮不毛燥，並不一定需要整頭離子燙。如此一來，除了外表的髮質柔順之外，裡頭的蓬度又很方便做造型，反而能夠讓髮型呈現最佳狀態。

·吹整

除了剪出讓頭髮不亂捲、亂翹的髮型之外，還要靠吹整來做造型。在吹整前，先噴一下保濕產品來鎖住水分，再開始從髮根吹起。吹整之後，再使用能夠定型、柔亮的造型品來做效果，就能使頭髮看來柔順。只要不遇到下雨天或太多水氣時，自然捲髮質做出來的效果，反而比柔順髮質持久呢！

燙髮

有些人的自然捲髮質是屬於厚蓬型，但未必是鬈髮的髮質，像這種狀況，其實就很適合利用燙一點微彎的捲度來塑造出髮型輕盈感，而不給人厚重的感覺。

染髮

自然捲的髮色若太黑會有毛躁感，利用染髮來改變髮色、或是挑染做出頭髮顏色的層次感，也會讓頭髮看起來輕盈。

造型品

·保濕性強產品

選用造型品時，一定要用保濕性強的產品，讓頭髮不會因為缺水而顯得乾燥而太蓬。可以用適當比例的髮膠混合髮蠟來抓整，讓頭髮因為保濕而產生重量，頭髮就會服貼不亂翹。

·髮尾抓線條

另外，也可以強調在髮尾抓出線條，讓在髮尾聚集成一綹就不會蓬鬆散亂，視覺上看起來髮量也會少一點。

各種臉型美髮攻略

> 想剪出好看適合的髮型，跟每個人的臉型、髮質、髮性（粗硬）、長度有很大的關係。只要能夠在以上四大項特質找到最佳比例，想要擁有好看髮型絕對沒問題！

臉型

每一個人的臉型都不盡相同，大致上歸類成五種臉型，長型臉、圓型臉、三角臉、鵝蛋臉、方型臉，從鏡子中觀察自己的臉型，找到自己是屬於哪種臉，如此一來，你就可以跟自己的設計師討論適合的髮型。讓缺點變得不再是缺點，而是屬於自己的特色唷！

長形臉

臉型長的人適合留劉海，這樣才不會給人臉型過長的感覺。

圓形臉

可以利用頭髮兩邊的髮鬢來修飾比例，讓臉看起來不那麼圓。利用頭髮的流線修飾臉的比例，頭頂扁塌、過度遮掩都是不好的唷！

TIPS
劉海抓高有拉長臉比例的效果，兩側頭髮修飾兩頰的圓臉。

三角臉

三角臉的美眉通常是顴骨較突出，為達到視覺平衡，不能再加寬顴骨兩側的蓬鬆度，而是要在頭頂以及下擺加寬或加重髮量。

TIPS
三角臉的美眉記得要把頭頂的份量做足，在視覺上才會有平衡的感覺，可以使用髮飾或是原本的劉海吹蓬。

鵝蛋臉

最標準漂亮的臉型。如果妳是鵝蛋臉人，基本上髮型不會太受限，只要跟造型師溝通後是妳喜歡的髮型就OK了。

方形臉

盡量不要讓肩負後面的頭髮太黑、太厚，否則下顎骨的弧度就如同在一片黑幕前暴露，容易一眼就看到缺點。建議長髮的人可做包頭造型來轉移視覺。

從『頭』打造完美氣質

頭髮就像女人的面紗，呈現女人浪漫溫柔和神祕的一面，更是看出女人氣質的最佳利器。要有健康的秀髮，頭皮的清潔和照顧就有相當大的關聯了！就讓我們學習氣質如何從頭開始吧！

髮質　除掉造型會破壞髮質因素之外，要使頭髮健康，頭皮的護理是相當重要的。基本上，頭皮有油性、乾性、混合性三種，要如何判斷自己是哪一種，可以從臉的肌膚知道，臉和頭皮是常相近的，所以如果妳是油性肌的臉，那頭皮也就屬於比較容易出油的類型。因此，在清潔上就很重要，如果用錯了洗髮精，原本已經是乾性的，就會變得有頭皮屑，油性的頭皮，讓頭髮變得更扁塌且還會有很重的油頭味！這樣都是在幫妳的氣質倒扣分。因此，產品選擇對妳的頭皮和髮質真的很重要唷！

有效解決各種頭皮困擾的方案

拉贊提蜂王菁前導舒柔

深層淨化滲透的作用，可以深層滲透，暢快毛孔並灌注養份；安撫頭皮皮脂腺細胞核的過度泌油反應，定期使用可以減少皮脂分泌量，可以說是增進頭皮健康狀況的聖品。

頭皮放鬆精油露

在繁忙的生活、緊張的步調中，有魅力的人絕對是懂得對自己好的人，不管是在工作或是休息的時間，一定會讓自己的生活達到平衡。偶爾會去Salon好好的放鬆頭皮，但在家時自己也可以做到唷！

不含矽靈洗髮精正流行

時光修護洗髮乳

一頭美麗、透亮光澤感的秀髮，甚至在律動中髮絲飄散出迷人的香氣，這絕對是女人最在意的關鍵。平時的吹整染燙，多多少少都會使髮質受損。因此，「護髮」就是也是女人很重要的課題之一，從洗頭開始就需要好好修護。

沛絲永遠21晶洗

刺激髮根毛乳頭再生，幫助新生頭髮生長得更粗壯健康，增加髮量密度；適合希望維持髮量、延緩落髮速度、或最近落髮量變多者使用。

潤絲不等於護髮

養護膠囊

清潔完頭皮後，別忘了也要加強修護髮絲，給秀髮高效的滋養份子，撫平分岔又乾枯的髮質。才能真正讓秀髮有透亮的光澤感。

拉贊提夏梔蕾前導髮膜

深刻的滲透力，可以修護受損的頭髮纖維內部鏈鍵與彈力纖維，滋養頭髮；使用一次即可感受到髮質強韌度的改善效果；特別適合極度乾燥無生氣的髮質使用。

細 軟 髮 質 拯 救 對 策

髮質過於細軟的人或者頭皮容易出油的人都容易有這個問題。如果妳是屬於前者，可以利用剪髮將頭頂、耳朵兩側的層次剪出來，營造蓬鬆感。另外，也可以用厚重的鮑伯頭來做造型，解決頭髮過於細軟扁塌問題。

對策1 剪髮

剪出好的髮型是第一步重點。可以在頭頂或耳朵兩側剪出讓髮型看起來有重量的髮型，營造髮量多的蓬鬆感。

對策2 整髮

從髮根開始逆向吹整，讓髮根站立不易扁塌。

沙宣快熱輕巧旅行裝熱髮捲

沙宣25毫米陶瓷燙捲髮夾

魔鬼粘

沙宣專業髮型設計吹風機

對策3 造型品

蓬蓬水

蓬蓬粉

造型時

造型前要打底。可以選用適合直髮、鬈髮髮質使用的護髮噴霧，再去吹整、上捲子或抓整。

造型前

頭皮容易出油的人髮型最容易扁塌。因此，建議在造型前先洗頭，洗掉過多油脂。另外，不可以選擇太油膩保濕的造型品，才能夠避免頭髮因出油而過重，讓頭髮重量下沉服貼。

吸睛瀏海這樣剪就對了！

劉海就如同是髮型的「靈魂之窗」一樣，占有非常重要的角色地位。不過，好看的劉海到底要怎麼剪？除了仰賴設計師之外，妳也可以輕鬆學會小訣竅，隨時幫自己DIY修整出好看劉海唷！

剪劉海前
BEFORE

修剪劉海最重要的關鍵：
髮量、額頭高低！

剪劉海後
AFTER

STEP.1 先劃分頭頂區域髮量

額頭寬度正常的人

從頭頂往前方兩側劃分出三角區域，三角頂點在中央位置處即可。將兩側頭髮先用夾子夾起。

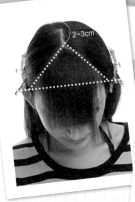

額頭寬的人

從頭頂往前方兩側劃分出三角區域，三角頂點在髮際線上方2~3cm處即可。將兩側頭髮先用夾子夾起。

額頭窄的人

從頭頂往前方兩側劃分出三角區域，三角頂點在頭頂中央位置後方處即可。將兩側頭髮先用夾子夾起。

STEP.2 劉海修剪的寬度

每一次修剪劉海的寬度以2cm為佳。

髮量多的人

拉起劉海修剪時，頭髮與額頭角度呈現90度角。

髮量少的人

拉起劉海修剪時，頭髮與額頭角度小於45度角。

STEP.3 劉海修剪的角度

髮量正常的人

拉起劉海修剪時，頭髮與額頭角度呈現45度角。

ＢＥＳＴ劉海

最好看的劉海就是剪完之後劉海位置要蓋住一點點眉毛，但不要蓋住眼睛為最佳！

輕鬆打造達人等級時尚造型

大家都知道「工欲善其事、必先利其器」的不變真理，一點都沒錯！想要每天以最時尚、最美麗的造型出門，就不能不學會善用便利的造型小工具來幫自己打造出漂亮的髮型。只要出門前花一點時間，就能夠輕鬆變身，讓妳的美麗隨心所欲，不用再依賴沙龍髮型師也可以辦得到！

TIPS
造型可先做好，
再捲露在外的頭
髮即可。

快熱輕巧旅行髮捲組

電熱捲是所有造型品中最容易入門的基本款，它不像吹風機必須一手拿梳子、一手拿吹風機吹整出想要的捲度，只要預熱後捲在想要變捲的髮束上，只要10-15分鐘時間就能打造出一頭浪漫的鬆髮，非常方便！而且電熱捲的最大特色，就是除了髮尾之外連髮根都可以一起做出蓬鬆效果，拆下來後可以整齊、也可以有狂野凌亂的感覺，對於有豐盈髮量或者是想要參加正式party的人必備的造型工具。

第一次接觸髮捲這個造型工具，是我20幾歲還在日本讀書的時候，當時我很疑惑為什麼日本女生的頭髮都可以捲得這麼漂亮，後來才發現她們在出門上課或上班前都會自己在家用髮捲做造型，加上當時很流行中森明菜、松田聖子的波浪鬆髮造型，所以鬆髮造型簡直就是流行時

尚的代名詞，因此，在好奇心驅使下，我也買了一組來玩玩看，結果發現它的變身效果實在驚人，不用花太長的時間，就能夠捲出自然又好看的捲度，那是燙髮無法做出來的效果，從此之後，它就成了我做百變造型不可或缺的法寶之一。

很多女生會在部落格問我，手不靈活的人該怎麼做造型？我都會建議她們最簡單的就是利用髮捲來做出好看造型。而且，髮捲從底座拿起來後會慢慢冷卻，不會有因為過熱而傷害髮質的問題，這個優點可是遠遠勝過吹風機以及電棒捲的唷！尤其現在很流行的內捲鮑伯頭也可以用髮捲來做出這樣的效果，如果不想要線條太整齊的人，在捲完後可以用手稍稍撥開髮束，就會呈現凌亂的線條感，相當好看。

沙宣快熱輕巧流行裝熱髮捲

上區的頭髮往內捲、下區的頭髮往外捲，同時捲子的間隔比較鬆，做出來就是中森明菜頭的造型風格。

TIPS

有些髮質太直的人上捲子捲度不易持久，建議在捲之前可以使用定型慕斯，之後將濕的頭髮先吹乾或烘乾後再上髮捲，這樣一來頭髮多了很多阻力、摸起來比較硬，上捲子後造型會較持久。另外，怕傷害髮質的人也可以噴有抗熱效果的髮妝水來減少頭髮傷害。

頭頂髮量少的人，可以利用髮捲在頭頂上方捲出波浪線條，營造豐盈髮量，看起來頭髮較有立體感，不會扁塌。

沙宣專業髮型設計吹風機

豐盈魔法師吹風機

　　有梳子的吹風機做起造型來會更簡單方便，尤其對自然捲的人來說更是一大福音。頭髮毛燥的人在洗完頭髮後、吹頭髮時都要努力拉直，因此，若是能夠有一手就能夠輕鬆操作的吹風機，比起需要一手拿傳統吹風機、一手拿梳子努力捲頭髮的方式就方便許多。尤其吹頭髮時建議要吹乾頭髮比較不容易毛燥，可是，若吹風機太熱或離頭髮太近都很容易傷髮質，這款有陶瓷效果的吹風機可以有效對抗毛燥，同時增加頭髮的光澤跟質感，絕對是想要髮質柔順的美人不可少的造型必備品。

TIPS

使用吹風機的要領跟夾電棒捲一樣，要視髮量分層分區來吹，髮型才不會亂且快速整型。

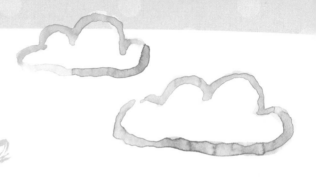

25毫米纖巧直髮夾

　　很多人對直髮夾的印象就是它只能將頭髮夾直，不過，其實它也具有將頭髮夾出好看弧度的效果呢！大部分的人在使用直髮夾時都是將頭髮順順地往下拉直，做出超直順的造型，可是，只要在拉頭髮時先微微拉出45度或90度角，頭髮就能夠有微彎的蓬度，可以利用它來做出最流行的鮑伯頭造型。再噴點髮妝水，頭髮就會看起來既柔順又有光澤感。

　　一般的直髮夾溫度約在120-200度左右，在使用時，只要按住前頭的輔助頭或抗熱外表用手稍微按壓，就可以幫助毛鱗片更快柔順。因此，直髮夾除了做造型的效果之外，同時還兼具有護髮的功用！

　　我們可以利用直髮夾的溫度（約80度），將一小米粒分量的月光護髮油塗抹在受傷髮尾上（乾髮狀態），再將頭髮夾直，就可以讓護髮素快速滲透到毛鱗片裡讓頭髮變得柔順。想要有光澤感、女人味及柔髮髮質的女生們不妨試試看唷！

利用不同的角度，用直髮夾
夾出不同的微彎蓬度。

在拉直頭髮時要用手稍微按壓一
下，髮質直順的效果會更好。

TIPS

使用護髮油時份量不可以太多太貪心，否則反而操作上要夾很久才能有效果。有很多日本沙龍都是利用直髮夾來幫客人做護髮，護完之後頭髮會有離子燙的效果，呈現有如廣告般用手穿過有如絲質般的柔順秀髮。

沙宣陶瓷纖巧25毫米直髮夾

陶瓷燙32毫米捲髮夾

　　電棒捲髮夾能做出多變的造型效果，隨著髮束的捲量及繞捲粗細都會呈現不一樣的感覺，也是現代女生一定要學會的一樣造型工具。很多女生都會靠燙髮去打造出流行的「甜美式鮑伯頭」，但是其實靠電棒捲髮夾就可以做出這樣的效果，除了省力之外還省去了不少時間呢！

　　捲電棒捲最重要的訣竅就是要「分區作業」！用鶴嘴夾依髮量先分出上下層區域，再分出左右區域，這樣捲髮束的時候才不會感覺一直重複弄同一區頭髮。捲頭髮時，由下層開始捲起，慢慢往上進行。同樣地，細軟髮質的人捲髮前可以先塗抹慕斯，讓捲度持久一些，怕傷害髮質的人則可以噴抗熱的髮妝水來打底。

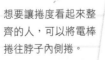

想要讓捲度看起來整齊的人，可以將電棒捲往脖子內側捲。

將頭髮都往後捲就能打造出蔡依林風和ViVi雜誌風。

將髮束一捲往後、一捲往前的交錯捲，能夠利用交錯線條讓頭髮看起來變多、變豐盈，適合髮量少的人。同時也能夠營造出陽光開朗的名模風情。

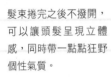

髮束捲完之後不撥開，可以讓頭髮呈現立體感，同時帶一點點狂野個性氣質。

TIPS

使用電棒捲時，要讓頭髮看起來漂亮好看，建議要將髮色挑染或染淺，才能讓捲度層次感比較明顯。頭髮黑的人不容易看出層次亮度，亮眼度不及淺色系髮色的人；因此，除了技術之外，用電棒捲做造型好看的關鍵就在於髮色的深淺唷！

Q&A髮知識

造型・保養一次全部解答！

集結了眾多網友、讀者最想知道的頭髮相關問題，幫大家詳細解答。找到正確的解決對策，才能夠有好看健康的美麗秀髮喔！

Q 怎麼讓頭頂易塌的頭髮看起來變蓬？

A 頭髮扁塌有時候可能是頭型的問題，因為頭髮屬於扁平類型。首先可以利用剪髮技術讓頭頂層次變短，當頭頂髮量輕盈了之後，下面頭髮比重就重，看起來髮量就會豐厚一些。或者也可以利用髮捲來捲出波浪層次，做出髮量豐盈的效果。最一勞永逸的做法，就是利用燙髮來做出豐盈感。有自然捲的人則可以善用本身的捲度抓出立體感，臉部線條看起來也會變小、變年輕。

Q 扁頭的人戴髮箍容易滑動，該怎麼辦？

A 戴髮箍有幾個point要特別注意，一個就是利用後面的髮量製造高度，做成公主頭的造型，這樣才能固定住一直往後滑動的髮箍。另外一個就是頭髮全部放下時，可以夾浪板來做出立體感，才能呈現後腦勺有好看的圓形弧度，有立體感。今年很流行爪痕髮箍，大家不妨利用它來打造呈現抓痕感的龐克風造型，又酷又好看！

另外，扁頭的人使用髮帶一樣會有容易滑動的困擾，針對這樣的狀況，可以在戴上髮帶後，將後面頭髮分成上下兩層，髮帶套在第一層後，再將第二層頭髮往上提拉包覆，不但可以隱藏住髮帶的線又很有造型感。如果還會滑動的話，再用小夾子固定住即可。

Q 染髮時頭皮容易刺痛怎麼辦？

A 燙髮時擦隔離油是很重要的一件事，能將頭髮傷害減到最低，而我認為很多天不洗頭、頭髮自然分泌出的頭油，其實就是最好的精油。在日本，只要妳不是擦了太多造型品的話，通常設計師都會直接做染髮的動作。

假如先沖水的話，水分會稀釋染髮劑成分，有時染髮效果就沒這麼好。像我自己是乾燥髮質的頭髮，不太容易出油，所以我都會至少三天不洗頭再去染髮，這樣最能減少過敏狀況。再來就是要多喝水。染髮過程中藥劑會溶於血液，所以建議大家染髮後一定要多喝水將它代謝出來，才不會殘留在體內對人體皮膚有害。

Q 劉海線非常明顯，感覺像是禿頭了該怎麼辦？

A 在洗完頭髮後，可以用吹風機逆著平常分線的髮流方向吹，改變劉海方向。睡覺前用無痕夾固定住，久而久之，利用吹髮的慣性就能夠改變定型的劉海分線。建議大家一定要不定期的改變髮流，否則容易定型或變禿。劉海容易開的人也可以用這種方法改變髮流。

Q 頭髮容易出油以及頭髮蓬鬆毛燥的人，該如何改善狀況？

A 頭髮的柔順感與光澤感，都跟洗髮精有很大的相關。很多人購買洗髮精時會選二合一雙效成分的洗髮劑來做一次清洗動作，但是這類型的洗髮精都含有矽靈成分，它只能暫時提供光澤柔順感，但是卻沖洗不掉。當矽靈慢慢地累積在頭皮上時，就會造成毛囊阻塞，形成掉髮問題，或者頭髮長成不健全，同時營養素也無法提供給新生頭髮，久而久之，頭髮的光澤感就會消失，變成毛燥受損髮質。因此，正確的清潔頭髮應該是洗髮跟護髮分開，一次用洗髮精清潔頭皮，一次用護髮產品提供髮絲養分，而且應該從耳下開始擦護髮品，才不會有頭皮頭髮太乾、滿足頭髮頭皮又太油的問題。另外，一般健康的頭髮是一個毛囊有三根頭髮，假如有頭髮生長問題的話，也可以做毛囊檢測，看看是不是堆積了很多污垢跟角質。找出正確問題再去解決，才是最正確的髮絲養護之道。

Q 如果天生髮質差，該怎麼辦？

A 其實頭髮只有髮色、髮性是天生的，髮質的好壞多半都跟我們的飲食、作息、壓力有關。有時候髮質沒光澤，或者代謝差，容易掉髮，都跟飲食及一些因素有關，必須要做全面的檢查才能找出原因。

外在因素方面，最重要的就是定期做好頭皮護理，以及挑選適合的洗髮精。內在的因素方面則要靠飲食來做調理。

在飲食方面，必須要顧及營養、促進血液循環、發育等三項要素來攝取。

1. 有足夠的蛋白質：蛋白質裡的胺基酸是構成頭髮的主要元素，很多人過度減肥，肉類、蛋類的蛋白質攝取不夠，就會缺乏胺基酸，讓頭髮看起來沒光澤。或者是吹頭髮的熱風高達70度以上也會讓胺基酸遭到破壞，所以要適量補充足夠的胺基酸才會讓頭髮有閃亮光澤感。

2. 促進血液循環：每天掉100根頭髮是很正常的新陳代謝，但如果掉髮的情況很嚴重，就要請專業的髮廊幫忙做毛囊健康檢測，看看頭皮是不是健康的狀況。想要讓頭皮健康、維持在掉髮長髮有很好的「髮平衡」狀態，就要多吃肝臟、鐵質及礦物質、蔬果等食物來促進血液循環，對頭髮的生長狀況會比較好。

3. 頭髮的發育：多吃海藻類、核果、薑、花生等食物，這些食物都含有豐富的維他命E，是頭髮發育的重要營養素，不能攝取過多，但也絕對不能缺少喔！

快用流行小物
讓妳的美麗加分！

增加頭髮分量，能有小臉效果
之外，又能修飾出好頭型。

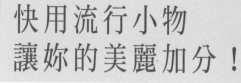

Hair Goods

增加髮量小髮寶

髮型增高器

號稱髮型的NUBAR，造型時可以墊高塌扁髮型，
省去為營造髮量而將髮根刮蓬的傷害。同時重量很
輕，不會有厚重的不舒服感，唯一的缺點是拆下時
魔鬼粘容易沾黏頭髮不好拆，但現在已經有改良的
產品上市，讓髮型增高器使用上更便利。

TIPS
因為都是魔鬼粘，要像梳子
一樣順著往下拉，如果方向
會造成頭皮的拉扯而產生掉
髮現象唷！

TIPS
依照自己髮量的需求選擇size，大的
華麗小的自然風，將頭髮覆蓋在增
高器上的，可呈現髮型有自然公主
風的髮型。在使用增高器也需要使
用黑毛夾或是橡皮筋來輔助固定，
完電熱捲在使用更能使髮型蓬鬆。

甜甜圈

非常適合髮量少的人做丸子頭造型時使用，有時候還
可以將它束在手腕上做為收納夾子的輔助，是專業髮
型師必備的好用造型小物。使用甜甜圈時，可以依照
自己的需求弄成不同形狀來做造型，取代了以往沙龍
用尼龍摻雜假髮做成的造型飾品，是一項好用的發明
新科技。只要將頭髮繞著甜甜圈夾起，自己就可以輕
意打造出好看又時尚的丸子頭造型，非常方便。

海綿寶寶

跟甜甜圈的功能很相似，適合給髮量多的人使用，長
條形的海綿寶寶更能隨心所欲地要縮要
放化成妳想要做的造型，
是時下很多人女生愛用的
造型小物。

Hair arrange item

在造型中絕對不能缺少的『髮夾』，從最基本的小黑夾粗細長短，可以依自己想要呈現的髮型效果選擇。當進階之後，妳又可以選擇Ｕ型夾，讓髮型能有更多變化。

這些實用小道具在造型過程中都有『大作用』！

Hair pin
實用小道具

螺旋夾

將盤好的頭髮定位後，利用髮尾收進去的漩渦處插入固定，就可以將盤好的頭髮更牢牢地固定住美麗造型。

大型Ｕ形夾

也是可以一根搞定丸子頭的好用造型小物。只要將頭髮縮起盤繞，在髮束最尾端勾起來插進去就能夠固定。Ｕ形夾上有很多弧度設計，可以讓頭髮更服貼固定，不會亂翹彈出。有勾的較屬於一次使用，因為材質較輕，拆除都會變形，可固定調整線條，直的Ｕ型夾重複使用性高，一樣也能固定頭髮線條。

怪獸夾

髮量多的人可以使用，因為怪獸夾有齒痕及可變動角度緊緊的固定住頭髮。

鶴嘴夾

一般髮量分區使用

無痕夾

在造型中，想要短暫的固定少量頭髮可使用無痕夾，讓頭髮沒有夾子的痕跡。

TIPS

是我覺得最能得發明獎的一個美髮用品。它真的很好用，用它做造型，一根螺旋夾就能抵10支黑毛夾，大推薦！

電話線髮束圈

看起來像電話線的髮束圈，比起傳統的橡皮筋更多變。它的髮圈紋路讓綁起的頭髮有自然好看的波浪痕跡，可以綁出搖滾、甜美、美式等不同的髮束效果，再利用小夾子固定做出不同造型，會讓外型看起來更具趣味變化。同時，它的一大優點就是材質不咬頭髮，拆下時不會有傳統橡皮筋的疼痛感唷！

鶴嘴法國梳

這是被我視為天才發明的超好用造型小物，因為它實在是太神奇了！只要利用一根鶴嘴法國梳，就能夠先將後面縮起的頭髮往上包覆固定，再將兩邊頭髮以鶴嘴夾住，輕輕鬆鬆就能打造出典雅或個性的貴婦頭造型，只要一根鶴嘴法國梳就能讓妳可優閒、可高雅，相當便利好用。目前只有黑色產品推出，喜歡變化的女生不妨自己買鑽貼來設計唷！

Styling

讓髮型持久的造型品

在造型過程中，要增加頭髮的水分、光澤、調整秀髮的髮質、髮量，並且要能維持髮型的持久，這些需求都是要靠造型品來完成的。那琳瑯滿目的產品要怎麼選擇呢？就要依照個人頭髮的條件及想要呈現的造型等目的挑選。

造型前

預防造型過程中的熱傷害的護髮產品。

Magic Hair 玫瑰香氛髮妝水

解決秀髮不聽話亂翹狀況，造型前為秀髮打底，讓秀髮亮澤柔順好梳理，持續散發玫瑰花香，直髮捲髮皆適用。

天使蘿莉髮妝乳

補充乾燥髮，燙捲滋潤，只要取適量髮妝乳掌中搓揉抹開後，均勻抹在髮尾處抓出線條，就能夠打造出輕盈搖曳的動感髮尾，賦予秀髮閃亮光澤。

OSIS抗熱直髮水

抗熱保濕效果讓造型超持久、超直亮，針對自然捲俏或微捲髮質提供最安全的暫時性直亮造型。

造型中

造型中能夠讓髮質及髮量改變，為效果呈現完美的髮型。

OSIS派對蜜

使頭髮有顯著豐盈的感覺，豐盈也擁有柔順觸感，不會出現傳統的黏膩感！

OSIS豐盈液火燄蠟

線條分明、清爽不黏膩，是超強控制乳霜，能重複結構塑型。

甜心蘿莉髮妝蠟

最適合想要營造髮絲自然空氣感的人造型。只要均勻塗抹抓出線條，就能夠讓髮絲呈現個性感。

蓬蓬粉

輕盈不沾膩，具有固定力超持久，油性髮質專用的美髮聖品。

完成造型

讓造型完美地持久呈現所需要的造型品。

OSIS魔髮漿

防止毛躁，創造輕盈線條，使秀髮柔順有光澤，宛如觸感柔軟。

VO.5自然定型液

自然定型，創造動感撥動順髮。超強定型快乾且容易梳理。

OSIS吼奇蹟

讓頭髮七、八分乾，讓捲度定型。強力定型控制、不黏膩、易梳理、柔順、豐盈，也能抗熱、抗潮溼。

OSIS黑炫風

感謝

攝影
曾秉宏 / Walson Kao（第五單元）

彩妝師
植村秀專業彩妝 / Mina

髮型
Elva / Joey / Karen

彩妝贊助
植村秀 / 嬌蘭

TSZ彩妝 友情贊助
李念慈 www.tszcosmetics.com 02-2775-3380

髮品贊助
絲華蔻 / 台隆手創館 / 拉贊提 / Hair much
MoltoBene台灣代理商沛晶企業有限公司

髮飾品
EVITA PERONI / 寶舖 / CAROLEE

服裝
La＇feta / 寶騰璜 / earth music & ecology / 流行秀
Ehyphenworld gallery / 林莉婚紗 / mia mia

沙龍贊助
whiple hair salon

特別感謝
VS 沙宣

潤透式美白

確實吸收潤白精華 2週感受明亮

漢方から美白成分抽出

米肌精・白皙化妝水

WHITENING LOTION

divinia 蒂芬妮亞

米肌精・白皙化妝水

實現光明肌

東方獨有的潤白哲學

高濃度薏仁精華＋米糠精萃

美白有效成分維他命C醣苷

溫和滲透肌底

肌膚確實吸收潤白精華

2週感受明亮

完美素顏明亮度大躍進

肌膚清爽滑嫩

實現內淨白、外透亮的光明肌

薏仁精華 米糠精萃

相信divinia，一次就選對！

新生代演員 李佳穎

伊 諾 雅

iNOA

從前，是染髮
現在，是伊諾雅

(僅 在 專 業 沙 龍 中 提 供 本 服 務)

- 告別刺鼻臭味，不含阿摩尼亞
- 舒適感官體驗
- 極致*呵護髮質
- 無限色彩，光澤質感
- 最高百分之百遮蓋白髮

ODS (Oil Delivery System)優油傳導系統：革命性的油基科技，
能提高染髮系統的效能，並保留秀髮的天然保護外層

欲了解更多關於伊諾雅的資訊，請至官網www.inoa.tw

*保留秀髮中氨基酸及油脂的天然平衡

L'ORÉAL PARIS
PROFESSIONNEL
萊 雅 專 業 沙 龍 美 髮

SCALPSPA 亮活礦物潔髮露抽獎券

SCALPSPA

亮活礦物潔髮露 Mineral Shampoo 300ml 市價 1,200 元

SCALPSPA 基礎系列，促進肌膚角質代謝，活化細胞，有效清潔頭皮，平衡油脂。
富含天然礦物成分，能有效清潔頭皮的老廢角質，平衡油脂；使髮質豐盈亮澤，
讓您擁有健康清爽的頭皮，綻放出閃閃動人的秀髮光澤。

活動方式

即日起至 2012 年 1 月 31 日止（以郵戳為憑），只要在抽獎卷背面填妥您的個人資料，並寄回下
方地址抽獎，本公司將於 2011 年 11 月抽出 10 位幸運讀者，贈送由絲健股份有限公司所提供市
價 1,200 元的 SCALPSPA 亮活礦物潔髮露！並以 E-mail 或電話通知得獎人。

郵寄地址

台北市敦化北路 120 巷 50 號　平裝本出版有限公司《時尚髮美人》活動小組收

www.scalpspa.com.tw

---

whiple 頂級專業造型服務 5 折 （含精油按摩洗髮）（市價 500 元）

house for hair

活動方式

1. 本卷不得與其他優惠使用。
2. 使用本優惠需提前 3 天電話預約，預約電話：(02) 2772-3373
3. 憑本卷即可免費兌換【極緻強化潔髮露 100ml】一份，
   影印無效。限量【300】份送完為止。
4. 活動期限：即日起至 2012 年 7 月 31 日截止。

郵寄地址

地址：台北市大安路一段 80 號 2 樓
電話：(02)2772-3373
網址：http://www.facebook.com/Whiple

L'ORÉAL PARIS
PROFESSIONNEL
葯 雅 專 業 沙 龍 美 髮

VS® SASSOON 沙宣快熱輕巧旅行裝熱髮捲抽獎券

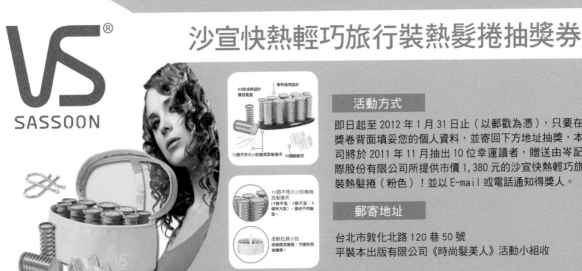

活動方式

即日起至 2012 年 1 月 31 日止（以郵戳為憑），只要在抽
獎卷背面填妥您的個人資料，並寄回下方地址抽獎，本公
司將於 2011 年 11 月抽出 10 位幸運讀者，贈送由岑記國
際股份有限公司所提供市價 1,380 元的沙宣快熱輕巧旅行
裝熱髮捲（粉色）！並以 E-mail 或電話通知得獎人。

郵寄地址

台北市敦化北路 120 巷 50 號
平裝本出版有限公司《時尚髮美人》活動小組收

✄

whïplë house for hair

Whiple house for hair 美髮事業群共有大安店及天母店，
現場技術總監由巴黎萊雅藝術大使 Carson Huang 所領導，
Whiple House for hair 在 20 多年來培育出頂級設計師數百人，
在國際與時尚的領域上不斷發光發熱，
為每一個重視頭髮的人不斷的創造新價值。

✄

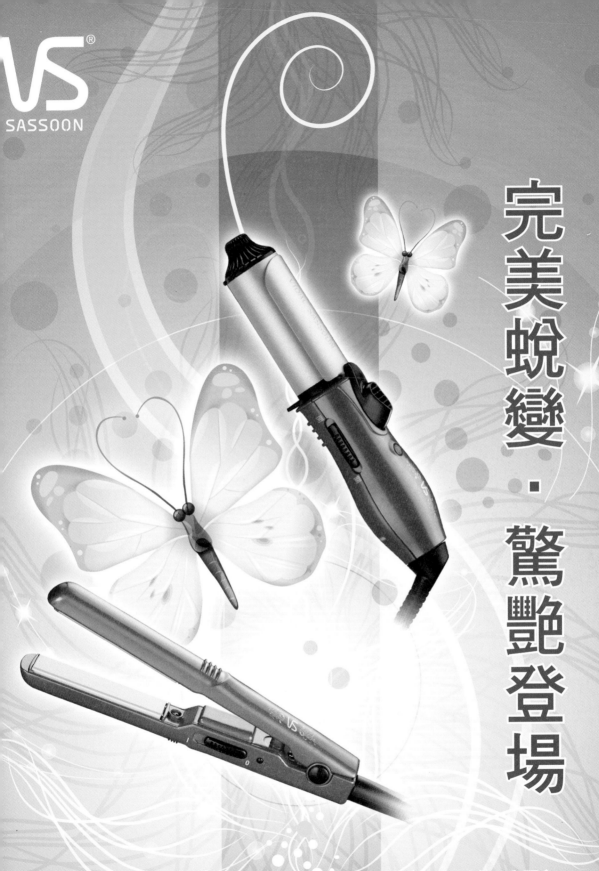

完美蛻變・驚艷登場

踏上華麗的旅程、遇見最美麗的秀髮

台灣總代理：岑記國際股份有限公司　客服專線：（02）2782-5058　網址：http://www.e-vidal.com.tw/

國家圖書館出版品預行編目資料

時尚髮美人 / 林葉亭 著.--初版.--臺北市：平裝
本. 2011.10 面；公分（平裝本叢書；第0365
種）（迷FAN；133）

ISBN 978-957-803-802-8（平裝）

425.5   100011563

平裝本叢書第0365種

迷FAN 133

時尚髮美人

作　　者—林葉亭
發 行 人—平雲
出版發行—平裝本出版有限公司
　　　　　台北市敦化北路120巷50號
　　　　　電話◎02-2716-8888
　　　　　郵撥帳號◎18999606號
　　　　　皇冠出版社(香港)有限公司
　　　　　香港上環文咸東街50號寶恒商業中心
　　　　　23樓2301-3室
　　　　　電話◎2529-1778　傳真◎2527-0904
出版統籌—盧春旭
出版策劃—龔橞甄
責任編輯—龔橞甄
特約美術設計—高蔚葶・陳玫玉
行銷企劃—林婉婷
印　　務—林佳燕
校　　對—邱薇靜・鮑秀珍・劉素芬

著作完成日期—2011年
初版一刷日期—2011年11月
法律顧問—王惠光律師
有著作權・翻印必究
如有破損或裝訂錯誤，請寄回本社更換
讀者服務傳真專線◎02-27150507
電腦編號◎419133
ISBN◎978-957-803-802-8
Printed in Taiwan
本書定價◎新台幣350元/港幣117元

- 皇冠讀樂網：www.crown.com.tw
- 皇冠Facebook：www.facebook.com/crownbook
- 皇冠Plurk：www.plurk.com/crownbook
- 小王子的編輯夢：crownbook.pixnet.net/blog